D0585845
afgeschreven

SCHEVENINGSE WOLKEN

WERK VAN **BART CHABOT**

Proza

Broodje gezond (1996)
Broodje halfom (2001)
Brood en spelen (2002)
Broodje springlevend (2003)
Elvistranen (2004)
FC Dood (2006)
Schiphol Blues (2009)

Poëzie

Genadebrood (1993)
Judaskus (1997)
De kootjesblues (2000)
Zand erover (2003)
Knekeltaal (2004)
Greatest Hits – Volume 1 (2004)
Fort Knox (2005)
McPain: Cadillac Boogie,
Anna's Hoeve,
Dracula's ontbijt (2007)
Signore Coconut (2007)
De Bril van Chabot (bloemlezing door Martin Bril, 2008)
Greatest Hits – Volume 2 (2009)

BART CHABOT

SCHEVENINGSE WOLKEN

2009
DE BEZIGE BIJ
AMSTERDAM

This book is a work of fiction, references to real people (living or dead), events, establishments, organizations, or locales are intended only to provide a sense of authenticity and are used fictitiously. All other characters, and all incidents and dialogue, are drawn from the author's imagination and are not to be construed as real.

Omslagontwerp Studio Jan de Boer/Corbijn
Omslagfoto's © Anton Corbijn
Vormgeving binnenwerk Aard Bakker
Druk Clausen & Bosse, Leck
ISBN 978 90 234 5510 3
NUR 303

This is my street
And I'm never gonna to leave it
And I'm always gonna to stay there

The Kinks, 'Autumn Almanac' (1964)

INHOUD

HOE LAAT ZOU 'T ZIJN IN DEN HAAG?

Er zijn, zoals bekend, vele wegen die naar Rome leiden.

Hetzelfde geldt voor Den Haag, al is dat minder bekend.

Een van die toegangswegen tot de stad is de Utrechtsebaan. Wat een binnenkomer. Je rijdt op de A12, ziet ter hoogte van Nootdorp de bescheiden wolkenkrabbers van Den Haag de kop opsteken, in de verte, en je fladdert al onder de kurkentrekker van het Prins Clausplein door. Links duiken spoorlijnen op, rechts de eerste huizen van Voorburg.

En dan gebeurt het.

Rechts van je prijkt een klok aan de gevel van een bedrijfspand. Een klok die er sinds jaar en dag hangt. Vroeger aan de gevel van de firma Starlift. Starlift werd Sligro. Maar de klok bleef. En hij doet het altijd. Bijna altijd.

Wij, Hagenezen, weten hoe laat het is. Wij wéten.

En dan ben je er al voorbij, voorbij de klok, en schiet je langs de kantoren van TNT Post, ING Real Estate, Tennet, KPN, Nationale Nederlanden, Gispen en Regus. De witte en grijze paleizen van de zakenwereld.

De Utrechtsebaan stroomt inmiddels als een betonnen Maas de stad in.

Voor frivoliteit zorgen de inhammen, die worden opgesierd door reclames van Holland Casino. Weldra zal

Gerard Joling hier weer zingen, en Gordon en Willeke Alberti, en zal het Ladies' Night zijn.

Ter hoogte van het Malieveld splitst de Utrechtsebaan zich in twee takken, op weg naar Scheveningen en de zee.

Van bovenaf ziet de Utrechtsebaan er nu uit als een stemvork. Den Haag, je tikt ertegen en het gonst.

Even later nader je de kust, en het strand; en sta je te kijken naar de eindeloos aanrollende golven. Daar komt geen Duracell-batterij aan te pas.

Den Haag: bij binnenkomst word je verwelkomd door een prikklok. Maar aan zee, voorbij de uitlopers van de Utrechtsebaan, zie je hoe de wind met de wolken dolt; en hou je de eeuwigheid tussen duim en wijsvinger.

NIEUWE LAARZEN

In Groningen kocht ik blauwe laarzen.

Cowboylaarzen.

Weliswaar geen *Blue Suede Shoes* zoals door Carl Perkins en Elvis bezongen, maar toch. Vervolgens reed ik zo hard mogelijk naar Den Haag, en soms nog wat harder om, op het Lange Voorhout aangekomen, mijn auto te parkeren, en de laarzen uit de doos te halen en aan te trekken.

Ik wilde hun Den Haag laten zien, en hen aan de stad laten wennen; een stad waar zij de rest van hun leven zouden doorbrengen.

En daar hadden zij wel oren naar, want zij zetten er meteen goed de vaart in. We lieten de Kneuterdijk en het Spui achter ons, passeerden de Bocht van Guinea en gebouw De Croissant, en liepen in rap tempo het Zieken af, richting het Rijswijkseplein. Ik had de indruk dat mijn laarzen nu al, veel vlugger dan verwacht, zich senang voelden in deze contreien.

Opgewekt liepen we verder, nu en dan ingehaald door een tram.

Den Haag glom en glinsterde in de zaterdagochtendzon – alsof God in alle vroegte de stad hoogstpersoonlijk met een tuinslang had schoongespoten.

We staken het Rijswijkseplein over, passeerden het Strijkijzer, en belandden, via de Leeghwaterkade, achter de bedrijfskantoren van T-Mobile en Delta Lloyd, op het Johanna Westerdijkplein: een plein zoals je ze op vakantie in Frankrijk ziet, met schelpenzand en rijen populieren. Dít plein was bovendien gezegend met een waterpartij en een drijvend caféterras dat Vlot heette.

'Ja, we zijn open,' zei de uitbater. 'Op verzoek van de buurt.' Hij wees naar de vier woontorens, opzij. 'Doordeweeks zit 't hier stampvol, met alle kantoren en met de studenten van de Haagse Hogeschool. Maar zaterdags is 't uitgestorven, en dat wil de buurt graag anders.'

Ik keek naar de meeuwen, die zich al volledig op hun gemak voelden in deze pas aangelegde uitmonding van de Laak. In de verte, voorbij de Fijnjekade, op de Goudriaankade, prijkte een telefooncel waarvan alle ruiten nog heel waren.

'Tal van bedrijven,' vervolgde de uitbater, 'komen deze kant op, nu de prostitutie uit de Waldorpstraat is verdwenen, en de criminaliteit. De politie heeft zich er bij mij al eens over beklaagd. "Vroeger viel er voor ons van alles te beleven, op de Waldorp. Maar tegenwoordig, sinds de tippelzone weg is, hebben we niks te doen, behalve rondjes rijden."

Het heet niet voor niks *Nieuw*-Laakhaven,' vervolgde hij. 'Dit gebied moet nog worden ontdekt. De gemeente wil dat deze buurt zo snel mogelijk een beter imago krijgt. Er zitten dik twintigduizend studenten op de hogeschool, Ortel Mobile heeft zich hier kort geleden gevestigd, we hebben het hoofdkantoor van T-Mobile, met vijftienhonderd werknemers die 's middags willen lunchen, en die 's avonds...'

Gaandeweg zijn betoog voelde ik mijzelf een beetje een bedrijf worden.

'Er zijn plannen voor een vijfde woontoren,' klonk het enthousiast. 'Ja, we gaan hier gouden tijden beleven, daar ben ik van overtuigd.'

Terwijl de uitbater binnen mijn bestelling haalde, een Vlotte Hamburger en een VlotShake, deed ik mijn Hank Williams-laarzen uit.

Ze hadden hun intrede in Den Haag gedaan, en bovendien knelden ze een beetje: een kwestie van nieuwigheid.

Dat uittrekken had ik niet moeten doen.

Ze keken elkaar aan, mijn laarzen – stonden de neuzen dezelfde kant op? – en zetten het vervolgens op een lopen. Erachteraan hollen was geen optie. Op sokken de achtervolging inzetten, daar zag ik al op voorhand het nutteloze van in.

Daar gingen ze: via de Waterloop, over het Schelpenplein onder twee glazen loopbruggen door, de toekomst tegemoet.

Nu nog zorgen dat ikzelf deel uitmaakte van die toekomst.

Dat kon nog een hele klus worden.

DE SPOOKEARRINGS

Cesar Zuiderwijk, sinds mensenheugenis de drummer van de Golden Earring, ken ik al heel lang; uit de jaren zeventig.

Cesar woonde toen in de Prinsestraat. Als Cesar op vakantie ging, paste ik op zijn huis. En Cesar gíng nogal eens op vakantie.

Een poosje terug trad ik op tijdens een festival waar ook de Earring aantrad, en Loïs Lane en Lee Towers.

'Kom je kijken, straks?' vroeg de roadie van Rinus. 'Ze gaan zo soundchecken, de Earring, en ze stellen je komst op prijs.'

Ik werd door de security in de Earring-kleedruimte toegelaten. En hoorde de band soundchecken. Ik zag de band niet, want alle ramen van de Evenementenhal waar de Earring de avond spetterend zou afsluiten, waren met zwarte doeken afgedekt. Ik bleef een tijdje staan luisteren. De Earring was op dreef. En liep toen naar mijn podium; het kart-café, een flink eind verderop in De Uithof: ik moest aan de bak.

Toen ik drie kwartier later klaar was, liep ik terug naar de Earring-ruimte. En botste bijna tegen Cesar op.

'Cesar,' zei ik, 'dat klonk goed, net.'

Cesar keek me niet-begrijpend aan. 'Waar héb je 't over, Bart? We komen net binnen, we zijn wezen eten. We hebben nog geen noot gespeeld.'

Toen begon het hem te dagen.

Een grote grijns verscheen op Cesars gezicht.

'Jongen,' zei hij, 'wat jij hoorde, dat waren onze roadies! Díe waren aan 't soundchecken, dat doen ze altijd, lang voordat wij bij een zaal aankomen. Je hoorde de fucking roadies! En je hebt gelijk, hoor. Want onze roadies spelen die Earring-klassiekers beter dan wij. Die gasten kunnen die songs drómen, en schieten ons soms links en rechts voorbij. Ja, echt, ik maak geen dolletje, onze roadies zijn tegenwoordig vaak beter dan de Earring zelf.'

Cesar woont nog steeds in de Prinsestraat.

Ik zou wel weer eens op zijn huis willen passen.

DE LOTGEVALLEN VAN EEN IJSMACHINEVERKOPER

'We gaan uit elkaar,' zei Harold, 'Margreet en ik.'

We zaten op het terras van de Peppermint, in de Frederikstraat. Het weer was pepermuntfris.

Het was ontbijttijd. De Frederikstraat moest nog op gang komen.

'Ach, er zijn ergere dingen in de wereld,' zei Harold. Hij lurkte aan zijn Peppermint Smoothie. 'Maar voor de kinderen,' vervolgde hij, 'Steffie, Maud en Nick...'

Harold was ijsmachineverkoper. Soft ice-machines. In de regio Zuid-Holland. Standplaats Den Haag. Ik had hem lang niet gezien. Sinds zijn huwelijk met Margreet niet meer, zo'n tien jaar geleden.

Margreet, vertelde Harold, was verliefd geworden op een overbuurman. Hij niet op haar, overigens, maar dat deed er nu niet toe, vond Margreet. Wat ze voor die buurman voelde, had ze nooit voor hem, Harold, gevoeld.

Hij roerde met zijn rietje door de Smoothie.

'Het is op tussen ons,' zei Harold. 'Zo ziet zij het. "Het is op. Ik kan niet meer. Ik hou niet meer van je. Zo simpel is het. Ik-hou-niet-meer-van-je. En misschien heb ik dat ook wel nooit gedaan."

Stephanie, de oudste, is nu acht. Haar hebben we 't van de week verteld, dat pappa en mamma uit elkaar gaan. Die voelde dat er iets aan de hand was. Zo'n kind kun je niet voor de gek houden.'

Hij zuchtte.

'Stephanie,' zei hij, 'wil bij Margreet blijven wonen.'

Er daverde een motor voorbij, rakelings langs het terras: een Kawasaki.

'Ach,' zei Harold, schouderophalend, 'hoe oud ben ik nu? Eenenveertig. Ik heb nog een tweede leven voor me.'

Dat mocht zo zijn, maar veel vertrouwen in dat tweede leven straalde hij niet uit.

Toen stond Harold op, rekende binnen af en liep de Frederikstraat uit. Nog even en hij zou verdwenen zijn, de hoek om, de Javastraat in.

Daar ging hij: een geknakt man, een geknakte toekomst tegemoet.

EEN PAPIEREN KWESTIE OP HET MONNICKENDAMPLEIN

Het zomerde volop in Den Haag, hoewel het mei was en dus nog geen zomer, officieel.

Maar daarvan trokken de zon en Den Haag zich niets aan. Integendeel, de zon legde het er dik bovenop.

Duimendik.

De stad voelde aan als juli. 's Ochtends marcheerde een legertje blote benen naar het strand; 's avonds gingen diezelfde benen op huis aan, bruiner nu.

Op het terras van Snackcorner Escamp aan het Monnickendamplein zaten twee oudere vrouwen, Ans en Wil.

Om de hoek, verderop, in de Den Helderstraat, wapperden de eerste oranje vlaggetjes boven de weg. Het EK naderde.

'Hé Nel,' zei Ans tegen de serveerster die een bord friet op tafel zette, 'waarom krijg ik geen servetje?'

'Dit is friet,' zei Nel. 'Daar doen we geen servet bij. Je heb toch een vorrekje? Nou dan.'

'Ja, Nel,' zei Ans, 'maar net, bij mijn broodje kroket, toen had ik wél een servet.'

'Oké,' besloot Nel, het gezeur nu al beu, 'mij best. Dan krijg jij een servet, Ans. Jij je zin.'

'Nou ja,' sputterde Ans tegen, 'het hóeft ook niet.'

'Wat?!' zei Nel. 'Nee, nou zal je 'm krijgen ook, je slabbertje!'

Er stopte een tram op het Monnickendamplein, eentje van Randstad Rail. Het tramstel oogde uiterst modern, alsof-ie uit Hong Kong of San Francisco kwam, en nooit uit de rails zou lopen.

'Hé meis!' riep Ans naar een vrouw die zwoegend achter een rollator liep en die nu langzaam de parasollen van de snackbar naderde.

'Hé meis!' herhaalde Ans. 'Ik wíst dat je niet dood was! Want ik zag je lopen van de week, Connie, met je hondje.'

Een kwartiertje later stapte Ans op. Ze groette Wil en Connie, riep Nel gedag, en wandelde op haar gemak weg.

Onder haar lege bord friet lag een wit servetje. Ongebruikt.

PRILLE LIEFDE

Op de Volendamlaan parkeerde ik mijn auto achter de C1000. Ik stapte niet uit, maar bleef een tijdje luisteren naar Amy Winehouse. Hoe zou het met haar zijn, sinds gisteravond? Had een nieuwe lover zich vannacht in haar garage verschanst? Of was ze een fotograaf te lijf gegaan die voor haar voordeur postte? Was zij opnieuw gearresteerd, *high on crack*, en inmiddels alweer op vrije voeten?

Amy hield de gemoederen danig bezig, dat wist ik wél.

Ik wilde koffiedrinken in Koffiehuis Sjaak. ALTIJD VERSE KOFFIE stond er op de gevel geschilderd.

Sjaak was dicht. Dat was jammer, maar niet iets om van in een depressie te schieten.

Ik liep de Volendamlaan af. De Volendamlaanbomen stonden in bloei, groener dan groen.

Boven de flats dreven grote brokken wolk: stukken ijs die – een gevolg van het broeikaseffect? – waren losgeraakt, en nu deze kant op kwamen.

Een flink stuk verderop, voor een portiek, zoende een verliefd stel elkaar. Zij had lang haar en droeg een sportief, wit jack. Hij had gemillimeterd haar en een zwart bomberjack.

Een auto toeterde naar het stel, maar dat hief hun kus niet op.

Zij wipte even omhoog, op haar tenen, om beter bij hem te kunnen. Haar handen gleden van zijn schouders naar zijn middel, en bleven een poosje op zijn billen rusten.

Toen zocht ze haar sleutels.

De jongen keek om zich heen, met iets onzekers in zijn blik; alsof deze kus hem overkomen was, en hij betrekkelijk weinig greep op de gebeurtenissen en op zichzelf had.

Zij had de sleutels nu gevonden, opende de portiekdeur, hield deze open en wenkte hem, lachend.

Hand in hand verdwenen zij in de donkerte van het portiek.

De wereld kón niet stuk, voor hen.

Terwijl ik naar mijn auto terugliep moest ik opnieuw aan Amy Winehouse denken, en aan haar scherven en gruzelementen.

Maar dat leverde niet veel op; niet voor Amy, en niet voor mij.

DOMWEG GELUKKIG IN DE MEDEMBLIKSTRAAT

Het was juli, de derde donderdag van deze vakantiemaand.

Er was een hoop aan de hand in de wereld: in Singapore, Rangoon en Kuala Lumpur; en ook in Nederland, in Den Haag; op de Zuiderparklaan, op een van de drukke kruispunten van de Loosduinseweg, en ongetwijfeld ook achter de ramen van een van de huizen aan de Vreeswijkstraat.

En toch had ik daar geen oog voor.

Op de Volendamlaan liep een verkreukelde man die bij de stomerij moest zijn, want hij wandelde recht op de winkeldeur af en verdween naar binnen.

Toen hij na een poosje buiten kwam waren alle kreukels in zijn gezicht, al dan niet chemisch gereinigd, nog intact.

Wel was zijn haar net zo wit als het shirt dat hij droeg.

Ik sloeg de hoek om en liep de bijna zondagse stilte van de Medemblikstraat in, hoewel het dus donderdagmiddag was.

Er hing wasgoed te drogen aan de balkons, wat de straat een Italiaans tintje gaf.

Verderop klapte een vrouw de motorkap van een Opel Vectra omhoog. Zij droeg een trainingsbroek en een geel T-shirt; de Vectra was donkerbruin.

Ze voltrok enkele snelle handelingen aan het motorblok, stapte in, stak een sigaret op, startte, trapte het gaspedaal een paar keer diep in en reed de straat uit alsof zij die nooit meer in zou rijden.

De oude Vectra kon haar tempo maar ternauwernood bijbenen.

Ik dacht aan het reisbureau waar ik vanochtend was geweest, en aan de vakantiebestemmingen waar ik uit kon kiezen. New York, Bali, een 'extra voordelig long weekendarrangement' in Drenthe. Of Singapore, Rangoon en Kuala Lumpur.

Wilde ik wel met vakantie? Dat was opeens maar zeer de vraag.

Ik hoefde helemaal niet zo nodig weg, eerlijk gezegd. Ik begreep best dat iedereen eropuit wilde, de komende weken, maar dat gold niet voor mij.

Eigenlijk bleef ik liever in de Medemblikstraat.

EEN FLIRT IN DE DIKKE MIK

'Bart!'

Ik zat op het terras van Dikke Mik in de Frederikstraat, vlak bij het water van de Mauritskade. Het was vroeg in de ochtend. Toch was de stad volop tot leven gekomen. Den Haag had er zin in, vanmorgen.

'Bart!' klonk het opnieuw van diep uit de Frederikstraat, maar dichterbij al.

Ik was alleen. En nu dus niet meer.

'Hoe is 't met je?' Ik draaide me om en keek in het gezicht van Charlotte, een schoolpleinmoeder. 'Stoor ik je, of kan ik erbij komen zitten?' Het klonk als een vraag, hoewel het dat niet helemaal was.

Charlotte was roodharig en eenenveertig, maar je gaf haar zesendertig, hooguit.

'Hoe is 't,' vroeg ik, 'met Hero?' Hero was Charlottes man, een jurist.

'O, die zit in Warschau,' zei Charlotte, 'voor een week, een congres. Over Europees merkenrecht, of iets dergelijks. "Ik denk niet," zei Hero toen-ie eergisteren vertrok, "dat ik mijn hotelkamer van binnen zal zien."

"Je doet maar," heb ik geantwoord, "wat je niet laten kunt."'

Terwijl ik mijn espressokopje oppakte, zag ik haar handen. Ze had mooie, slanke handen. Ze was sowieso mooi, Charlotte, maar ze had ook mooie handen. Die dingen gaan niet altijd samen, maar in haar geval wel.

'Europees merkenrecht?' zei ik. 'Klinkt niet erg opwindend.'

'Dat is 't ook niet,' verzuchtte Charlotte. 'En een beetje opwinding, dat kan mijn leven wel gebruiken.'

'Charlotte,' zei ik, 'denk je dat ik in staat zou zijn om iets aan die opwinding bij te dragen?'

We keken naar de Mauritskade, waar enkele eenden in het water dartelden.

Ik rekende binnen af en liep het terras op. 'Zal ik je thuisbrengen, Charlotte?'

'O,' zei Charlotte met een mengeling van opluchting en tevredenheid, 'ik dacht dat je het nóóit zou vragen.'

EEN AUGUSTUSOCHTEND OP HET EIGEN ERF

Den Haag warmde zich aan de ochtendzon.

Mijn kinderen waren een week op ponykamp. Vakantiestilte. En daarom ging ik met mijn koffie in de tuin zitten, om de staat waarin de tuin verkeerde eens te overzien. Een makkie, want zo groot was die hele tuin niet.

Her en der lag kapot kinderspeelgoed, een tuintafel stond op instorten en het gras was een knollenveld, gras dat bovendien nodig gemaaid moest worden. Ik had er een vrolijke puinhoop van gemaakt, van de tuin.

En gold hetzelfde, die vrolijke puinhoop, niet voor mijn hele leven?

Een stel kraaien fladderde door de Haagse lucht, en streek neer op het platje van de buren, waar de vogels zich te goed deden aan de inhoud van een vuilniszak.

De ochtend kroop voorbij. Zat ik mijn tijd te verdoen? Daar leek het verdacht veel op.

Napoleon, onze hond, kwam uit de keuken de tuin in geslopen, schudde zich uitgebreid uit, en ging vervolgens niet naast mij maar verderop onder de struiken bij de schutting liggen. Verbeeldde ik het me of keek hij me misprijzend aan?

Ik kon de zee ruiken.

'Kom,' sprak ik mezelf hardop toe, 'het wordt tijd

dat er iets gebéurt. En het initiatief daartoe,' vervolgde ik plechtstatig, 'moet vanuit jezelf komen.'

Toen stond ik op, abrupt. Jezelf hardop toespreken, in zulke bewoordingen, was dat geen slecht voorteken? Moest ik voor mijn geestelijke gezondheid vrezen? Was ik op mijn retour?

Ik verdween naar binnen, sloot de ramen en deuren, verliet het huis en wilde naar de overkant lopen, naar de bushalte, toen ik in de verte de bus al zag naderen, onstuitbaar.

Ik stak niet over, maar bleef bij de stoeprand wachten, zodat ik hem miste.

Pas toen de bus vertrokken was, richting het centrum, stak ik de straat over en wandelde zonder haast naar de halte.

EEN ACHTERVOLGING OP DE OUDE HAAGWEG

Ik heb een zwak voor kruispunten. Op een kruispunt gebeurt altijd íets. Een woedende vrachtwagenchauffeur, taxi's, een wegwaaiende plastic zak van de Edah. Dat soort dingen.

Den Haag heeft ze in alle smaken. Drukke kruispunten, nog drukkere, iets minder drukke en verstilde exemplaren.

Een fraaie is het kruispunt waar de Loosduinsekade overgaat in de Oude Haagweg. Het is daar goed toeven, ook omdat op een van de hoeken Vermolens Snackcar staat, met terras.

Gistermiddag borstelde een man-in-overall bij Vermolen met stoffer en blik de laadruimte van zijn bestelwagen schoon. De auto was leeg, en desondanks nog net niet door zijn veren gezakt; wat het zorgvuldig schoonvegen tot een tamelijk nutteloze bezigheid maakte.

Later die middag stapte ik in mijn auto, belandde op de Oude Haagweg achter een Mini en reed er vervolgens naast. Achter het stuur zat een hoogblonde vrouw. Ze had een Debbie Harry-achtig kapsel; wilde haren, die onstuimig om haar hoofd wuifden. Ze droeg een Sophia Loren-zonnebril en haar horloge was groter dan haar pols.

Ik zette onopvallend de achtervolging in.

Bij de stoplichten voor de Houtwijklaan kwam ik naast haar tot stilstand. Ik leunde opzij, om door het open raam de Mini in te kijken. En constateerde dat haar borsten een vermelding in een of ander recordboek zonder al te veel moeite zouden halen.

Ja, alles aan haar was groot, op haar auto na.

Bij het volgende stoplicht sloeg zij links af, de Burgemeester Hooylaan in. Daarop brak ik mijn achtervolging af en reed verderop de Cornelis van Zantenstraat in. Anders kwamen er maar praatjes van.

Later op de dag liep de boel alsnog uit de hand, en bekroop me het gevoel dat mijn leven als water door een afvalputje wegliep, druppelgewijs.

En geen groot blond beest in een Mini in de buurt om me terug op de rails te zetten.

WACHTEN OP LA KEMP

Omstreeks het middaguur zat ik op het terras van café Berger op het Plein.

'Bart,' had de stem van Manuëla Kemp op mijn antwoordapparaat gezegd, 'ik werk sinds kort in Den Haag! Zie ik je bij Berger, lunchtijd, op het Plein?'

Die boodschap dateerde van enkele weken terug, en pas nu had ik tijd gevonden om Maan op te zoeken.

De serveerster kwam. Nadat het bestelde voor me stond, begon het wachten op Maan pas echt.

Op het terras van de buren, van café Plein Negentien, lasten twee serveersters een rookpauze in. Toen er een askegel op het T-shirt van de ene serveerster landde, veegde haar collega de sigarettenas eraf; eerst teder van de rechterborst, toen van de linker.

Ik wou dat ik dat mocht doen.

Na een tijdje passeerde een man die er, met een sportieve rugzak en dito schoenen, uitzag als een bergbeklimmer, op zoek naar de juiste berg.

De serveerster keerde terug. Of ik nog iets wilde.

'Eigenlijk,' zei ik, 'wacht ik op Maan.'

'O, die komt hier elke dag,' antwoordde ze. 'Maar Maan is op vakantie, vier weken, Griekenland.'

Ik pakte papier en pen.

Lieve Maan, schreef ik op. *Wil je van de zomer met me zwemmen, in zee? Bart.*

PS: Ik ben in bezit van de vereiste diploma's, ook Reddend Zwemmen. In geval van nood kan ik je in mijn armen nemen en veilig aan land brengen. (Zonder nood trouwens ook.)

Toen stond ik op, gaf het briefje af, en stak het Plein over.

Op het standbeeld van Willem de Eerste zat een meeuw. Dat niet alleen: van Willems hoofd dropen twee straaltjes omlaag, wittig.

Via de Lange Poten liep ik naar de Spuistraat, en toen verder. En ik loste op en verdampte in de straten en straatjes van de Haagse binnenstad.

TWEE VRIENDINNEN OP HET ANNA PAULOWNAPLEIN

Omstreeks het middaguur zat ik op het terras van Room, op het Anna Paulownaplein, aan een tafeltje bij de stoeprand. Naast me zaten twee vrouwen, begin veertig, eveneens aan de stoeprand.

'En wanneer vlieg je, Yvon?' vroeg de een.

'Maandag, Anja. Maandagmiddag.'

'Goed, en dan ga je dus,' vatte Anja hun gesprek samen, 'een jaar lang in Wales zitten, in de *middle of nowhere*, om te tuinieren en een oude man te verzorgen, en...'

'Nou,' zei Yvon, 'ik gá om aan mezelf te werken.'

'Je ben nie wijs.'

'Anja,' zei Yvon, 'wat heeft mijn leven me opgeleverd? Al mijn verhoudingen met mannen zijn mislukt. En die met vrouwen ook, trouwens. Ik heb geen kinderen... Wie bén ik eigenlijk? En wat wil ik nog? Zo doormodderen? Op die vragen hoop ik antwoord te krijgen, en dat gaat me in Den Haag niet lukken.'

'Nee,' merkte Anja op, 'en in Wales wél, levend begraven in een of ander boerengat?'

Hun bestelling kwam.

Ze hadden exact dezelfde keus gemaakt – een maïsbol met huisgemaakte tzatziki, cashewnoten en komkommer – hoewel hun werelden ver uit elkaar lagen.

'Ach, Yvon,' zei Anja praktisch, toen haar halve

maïsbol verdwenen was, 'je hoeft alleen een tandenborstel mee te nemen, en je vibrator. Meer heeft een meisje niet nodig, Von, wat jij?!'

'Vibrator?' herhaalde Yvon. 'Die héb ik helemaal niet.'

'Wat?' Nu was het Anja's beurt om verbaasd te kijken. 'Von, je wéét toch hoe kerels zijn? Net als mijn Johan. Nauwelijks tot voorspel te porren, dan erop, en anderhalve minuut later rollen ze op hun zij, om direct in slaap te vallen, liefst snurkend. Ik hou van Johan, daar-nie-van, maar ik zou me zonder mijn Tarzan geen raad weten.'

Ik had genoeg gehoord. Te veel zelfs. Hoeveel 'Johan' zat er in mezelf, bijvoorbeeld?

Ook ik moest mijn leven dringend onder de loep nemen. Al hoefde ik daarvoor niet naar Wales.

DE MAN DIE IN DAMESZADELS DEED

'En,' vroeg ik, 'in wat voor business zit jij?'

We zaten op het terras voor het Carlton Hotel in de Zeestraat. Het liep tegen middernacht. De Zeestraat zelf sliep al.

Eerder op de avond was ik het terras op gelopen, toen een man me een stoel aanbood. 'Wat drinken? Zo niet, even goeie vrienden.'

Richard Dijsselbloem, heette hij. Woonachtig in Nijkerk. Getrouwd; twee kinderen, die pas na de nodige moeite kwamen: een tweeling van acht, inmiddels.

'Wat ik doe?' herhaalde hij. 'Ik zit in de zadels. Fietszadels. Ja, lach maar. Lach gerust, want aan het end van de rit lach ik het hardst. Ik vertegenwoordig Selle Royal, Italiaans, een topmerk, en verkoop in Nederland anderhalf miljoen zadels per jaar. *Anderhalf miljoen.* Nou jij weer.'

Hij was voor zaken in Den Haag geweest, en zou morgenochtend vroeg opstaan. 'Zeven uur, dan knal ik naar Zwolle. Voor een *Ladies Ride*. Dik vierduizend vrouwen doen mee, aan een rit van zestig kilometer door Zwolle en omgeving.'

Hij stak een vers, dun sigaartje op.

'Ik heb er een speciale tent, kingsize, en help de dames van hun zadelpijn af. Goud, jongen. "Wat zijn de klachten, mevrouw?"

"Nou, het doet pijn."
"Wát doet pijn, mevrouw?"
"Nou, gewoon..."
"Wát gewoon?"
"Als ik een uurtje fiets," komt dan de aap uit de mouw, "bloed ik uit mijn doos." Of: "Als ik twee uur fiets, krijg ik last van mijn buitenste schaamlippen." Kijk, en dan ben ik de man die de dames aan een nieuw zadeltje helpt.'

De ober kwam, om het terras te sluiten.

Richard schoot kwiek overeind. Hij wreef zich niet vergenoegd in beide handen, maar het scheelde weinig. Zwolle lonkte. Wat hem betreft kon de nacht worden overgeslagen, het ontbijt ook, en mocht de dag zo snel mogelijk beginnen. Zijn handen jeukten.

En niet alleen zijn handen.

SUIKEROOM

Omstreeks het middaguur streken vier vriendinnen neer op het terras van De Posthoorn, aan het Lange Voorhout. In volgorde van opkomst Valérie, Claudia en Angelique. De vierde naam was me in hun gesprek ontgaan. Zij waren niet de enige klanten. De eigenaar van De Posthoorn had geen reden tot klagen. Serveersters liepen af en aan.

Na de koffie-met-appelgebak diepte Valérie een doos op uit haar boodschappentas. 'Wie wil er een negerzoen?'

'Dat mag je toch niet meer zeggen,' vroeg Claudia, '"negerzoen"?'

'O nee?' zei Angelique. 'Nou, aan díe flauwekul doe ik mooi niet mee. Ik blijf 't gewoon "negerzoen" noemen.'

Claudia pakte er een uit de doos en at hem op. 'Hmm,' zei ze terwijl ze haar vingers verheerlijkt aflikte, 'zouen ze in 't echt ook zo lekker smaken?'

Het liep tegen enen toen een ouder echtpaar het terras naderde, gearmd. Ze vielen op, want ze droegen beiden een hoed en dat zie je weinig mannen nog doen. Vlak bij het terras wankelde de man een ogenblik, maar zijn vrouw ving hem handig op: dat had ze vaker gedaan.

Toen verdween hij naar binnen, naar het toilet.

'Leuke vent heb je,' zei Valérie.

De vrouw met de hoed glimlachte. 'Hij is lief. Heel lief. Te lief.'

'O?' zei Valérie.

'Ik heb 'm ontmoet in Djokjakarta,' vertelde ze. 'Een Philips-man. Ik was al jaren gescheiden toen ik 'm tegen het lijf liep.'

'En de vonk sloeg gelijk over?' vroeg Valérie.

'Welnee, ben je gek,' zei de vrouw met de hoed. 'Híj is lief. Ik niet. Ik ben bitchy. Nee, hij zat goed in de slappe was. Díe is voor mij, dacht ik.' Ze voelde aan haar hoed, of die nog goed zat. 'Ik ben met 'm getrouwd voor zijn centjes. Ja, wat dacht je dán?!'

Nu kwam haar man naar buiten, opgelucht. Zijn hoed stond recht.

De vrouw gaf haar echtgenoot een arm, keek toen glimlachend om naar Valérie, en knipoogde.

'Centjes!' riep ze. 'Centjes!'

BEKENDE NEDERLANDER

'Weet je,' zei Lee Towers, 'wat mij vanmiddag overkwam?'

We stonden in een kleedkamer in De Uithof, kort voor onze optredens op een personeelsfeest. Dat wil zeggen: we bevonden ons in een kantoorruimte die dienstdeed als kleedkamer. Lee hoefde zich sowieso niet om te kleden; die was enkele minuten eerder in smoking in De Uithof gearriveerd.

Ik waande me een popster, want de reis door de talloze gangen van het sportcomplex had ik afgelegd begeleid door vier beveiligingsmedewerkers met oortjes in, die me geen seconde uit het oog verloren.

'Geen idee,' antwoordde ik. 'Vertel op, Lee. Voor de draad ermee. Wat overkwam je vanmiddag?'

'Jongen,' zei Lee, 'ik ga tanken, rijd een benzinestation in, ik mijn wagen uit, komt er een man op me afgelopen, hij zegt: "Sorry, maar... Ik ken u ergens van."

"Ach," zei ik neutraal.

"Ja," houdt die man aan, "nee, echt, zonder dollen, ik kén u ergens van. Van de tv, of van... Ja, ik weet 't op zeker, honderd procent, ik kén u."

Ik twijfelde, jongen. Moest ik 'm zeggen wie ik was, of niet?

"Ja," zegt die man, "ik heb 't op het puntje van mijn tong liggen, uw naam."

Ik denk: vooruit, laat ik die man uit zijn lijden verlossen. Dus ik zeg: "Nou, dan zal ik 't u maar vertellen... Ik ben Lee Towers."

"O," zegt die man aarzelend.

"Ja," zeg ik, "het spijt me. Ik hoop niet dat u al te zeer teleurgesteld bent."

Begint die man achteruit te lopen, met zijn blik strak op me gericht, tussen de benzinepompen door, en de slangen, terwijl-ie zijn aktetas stevig tegen zijn borst geklemd hield.

"Lee Towers," herhaalde hij, toen hij op zo'n zes meter afstand van me was. "Lee Towers. Ja, ja. *Lee Towers*... En tóch ken ik u ergens van."'

EEN GOED GESPREK OP DE DIERENSELAAN

'Nee,' zei Belinda, 'ik kom nooit meer op de Apeldoornselaan, van zijn lang-zal-ze-leven niet. Ik rij liever om.'

We stonden op de Dierenselaan, waar Belinda woonde.

'Hoe dat zo?' vroeg ik.

Ze vertelde dat zij een verhouding had gehad, vorig jaar, met een getrouwde man, die op de Apeldoornselaan woonde. 'O,' zei Belinda, 'ik was alles voor hem, álles. Hij zou scheiden van zijn vrouw, zo snel mogelijk, en... Ik was zijn toekomst, zo moest ik 't zien. De vonken vlogen ervanaf. O, hij kon zich geen leven voorstellen zonder mij, geen dag. Tot ik erachter kwam dat-ie er zo nog een stuk of wat vriendinnen op na hield, de lul. Wat een klootzak.'

Een vliegtuig vloog laag over; die ging op Zestienhoven aan.

Belinda zuchtte.

'Iets anders,' zei ze toen, 'van de week was ik op een avond waarop... Seksspeeltjes. Een soort tupperwareparty, maar dan voor seksspeeltjes. Ken je dat? Zat ik daar, met een dildo in mijn linkerhand, en in mijn rechterhand een schaal met een in plakjes gesneden stuk leverworst. "Nou," zei ik tegen die gastvrouw, "ik weet niet hoe jij erover denkt, maar... ik heb liever een echte."'

Laat in de middag stond ik op het Scheveningse strand, aan zee.

Dat wil zeggen: vlak voordat de middag zijn boeltje bij elkaar pakte, om plaats te maken voor de avond die eraan kwam, in de verte.

De lucht was Milka-paars. Er waren geen wolken.

Of toch: ver boven de Noordzee zwierven vier exemplaren rond. Zij waren van de kudde afgeweken, en moesten nu op eigen kracht de finish zien te halen.

En nog later kwamen de sterren, en niet zo weinig ook.

Maar ik kon er niet bij, bij de sterren. Ook niet toen ik me uitrekte, en op mijn tenen ging staan.

Het zat er eenvoudigweg niet in, vandaag.

EEN OCHTEND AAN ZEE, BIJ HET ZWARTE PAD

Vanochtend werd ik vroeg wakker.

De meeste vogels sliepen nog. En op straat was het stil, op een enkele vrachtwagen uit het Westland na die zich naar Aalsmeer haastte, de veiling.

Ik keek omhoog, naar de hemel boven Den Haag, en constateerde dat de lucht ónder de blauwe plekken zat.

Van de dader(s) ontbrak elk spoor.

Enkele uren later zat ik op het terras van strandpaviljoen Culpepper, bij het Zwarte Pad. Ik kom daar graag, bij Culpepper. In menige horecagelegenheid krijg je je eten zo snel mogelijk voor je neus gezet, zodat je vlot vertrekt en jouw tafel een tweede keer verkocht kan worden.

Zo niet bij de Culpepper. Daar scheppen ze er een eer in om je zo lang mogelijk op je bestelling te laten wachten, volgens de Wet op het Onthaasten. 'Een pizza? Komt eraan, maar dat kán even duren, zeg ik er gelijk bij.'

'"Even"?'

'Anderhalf uur, ben ik bang.'

'O,' zeg ik dan, 'valt dát mee. Ik had op minstens twee uur gerekend.'

Ik kijk naar de zee; hoe de golven aanrollen, schuim-op-de-lippen. Hoe ze af en toe inhouden, en terugrollen – eb. En weer gas geven – vloed. Dat doen die golven al eeuwenlang, daar zijn ze goed in, dat is hun werk, hun corebusiness, en dat blijven ze nog eeuwen doen. Tenzij er een wethouder komt die een eiland voor de kust wil bouwen.

En ik denk aan een van mijn dierbaarste vrienden, Martin Bril, die me gisteravond meldde dat-ie ernstig ziek is, en zich nu onvrijwillig gaat bekwamen in de kunst van het terugrollen, en het eb worden.

Als ik opsta, is het aantal blauwe plekken boven zee niet afgenomen, integendeel.

Er zal een knappe verbandtrommel aan te pas moeten komen om dát allemaal te verbinden, en te repareren.

FLUITCONCERT

Ik zat te schrijven in het Carlton Hotel in de Zeestraat, in kamer 317.

Dat doe ik vaker, schrijven in een hotel, als het thuis te druk is vanwege de kinderen, de onophoudelijk rinkelende telefoon en hond Napoleon die aandacht wil.

Ik zat aan het bureau, en had de spiegel aan de muur erboven afgedekt met een handdoek om mezelf niet te hoeven aankijken. Twee keer per dag mezelf onder ogen komen, 's ochtends en 's avonds in de badkamerspiegel, was meer dan genoeg.

De balkondeur naar de Sophialaan stond open, en de tv geluidloos aan, op teletekst. Het tweepersoonsbed was onbeslapen. De minibar had ik nog niet aangesproken.

Hotelrust.

Maar opeens, diep in de middag, kon ik niet meer werken, zo veel kabaal maakten de vogels. Zij gingen, om wat voor reden dan ook, plotseling als gekken tekeer.

Ik liep het balkon op. 'Jongens,' zei ik tegen de vogels die massaal in de kastanjebomen huisden, 'willen jullie alsjeblieft íets stiller doen? Jullie mogen best fluiten, graag zelfs. Maar dit wordt te dol.'

En zowaar: de vogels, zij gehoorzaamden me. Eensgezind staakten zij hun gefluit, en het werd stil. Zó stil was nu ook weer niet de bedoeling; desondanks liet ik het maar zo.

Later, toen ik een werkpauze inlaste, zag ik op tv dat ällle vogels, op diverse continenten, waren stilgevallen, en niet meer floten.

Dat werd me te gortig.

Ik liep het balkon op en legde de vogels uit dat zij me niet stoorden, integendeel, en weer naar hartelust mochten fluiten.

En zo geschiedde.

Toen liep ik naar binnen, deed de balkondeur dicht, sloot de Sophialaan buiten, en toog opnieuw aan het werk; en schreef alsof mijn leven ervan afhing, en het lot van de wereld.

Al wist ik wel beter.

EEN SPRANKJE HOOP IN DE SUMATRASTRAAT

Ik stond voor de poort van JJ Carservice in de Sumatrastraat samen met Johnny, mijn garagehouder.

Er was iets met de aandrijfstang van mijn auto – niet echt iets ernstigs, niet om je het hoofd over te breken; maar toch wel iets om je énige zorgen over te maken, want de boel diende wel, om erger te voorkomen, binnen afzienbare termijn gerepareerd. Dat wél.

Terwijl we praatten, moest ik aan Martin Bril denken. Ik moest knap vaak aan Martin denken, dezer dagen.

'Ik ben goed ziek, jongen,' mailde Martin vanochtend, 'dat is een ding dat zeker is. Ik voel de dagen tikken, en het is niet altijd makkelijk om moed te houden. Gelukkig heb ik in Frankrijk nog een mooie Winchester staan. Dubbelloops.

Voor de dood ben ik niet bang, maar voor het sterven wel.

Het liefst zou ik als een stervende indiaan de bergen of de wouden in trekken, en het rustig in mijn eentje afhandelen.

Maar ja...'

Een stel jongetjes van een jaar of negen stoof de straat in.

'Hé,' riep een jongetje met bleekblond haar, terwijl zijn vriendjes in een doorgang tussen de huizen verdwenen, 'jou ken ik, van de tv. Jij bent vaak op tv, toch?'

'Ach,' zei ik neutraal.

'Jij bent toch Bart?' hield hij aan.

Dat kon ik niet ontkennen, al betrapte ik mezelf erop dat ik die mogelijkheid wel overwoog.

Even bleef het stil. Toen zei-ie: 'Mijn moeder vindt jou leuk.' En weg was-ie.

Kort daarna groette ik Johnny en de monteurs en liep in de richting van de Bankastraat, met lichte voetstappen. Er was, *somewhere* in de Archipelbuurt, een moeder die me leuk vond.

En opnieuw moest ik aan Martin denken. Er waren heel véél moeders die Martin leuk vonden, erg leuk. En ik stelde me voor hoe wij stad en land afreisden om bij al die moeders op de koffie te komen, als hun man en kinderen niet thuis waren, en hun een blij gezicht te bezorgen.

Maar lang duurde die dagdroom niet.

Twee woedende automobilisten ruzieden om een parkeerplek recht voor de ingang van Albert Heijn, en ik was terug in de werkelijkheid.

En terug bij Martins lot.

EEN HELPENDE HAND DOET SOMS WONDEREN

Vorig jaar zomer liep ik op het Zwarte Pad, op een vrijdagmiddag, ter hoogte van de strandpaviljoens Whoosah, Culpepper en Billabong. Het was kort na halfvier, hartje school- en bouwvakvakantie. Volgens een politiewoordvoerder, later, bivakkeerden ruim driehonderdduizend toeristen die dag aan zee.

Ik stond boven aan de strandopgang toen een groot noodweer van boven de Noordzee kwam opgestoomd, en koers zette richting de kust, onze kant op. In een ommezien waren de meeuwen verdwenen. Dit noodweer had haast, en maakte benen.

Daar zaten we nou nét op te wachten.

Enorme regenbuien pakten zich samen; en ik zag een windhoos, opzij van de Pier. Het werd donkerder, en duister. Enkele tienduizenden strandgangers kwamen overeind, in allerijl, verzamelden hun kroost en spullen, en zetten het op een lopen. Er ontstond een run op de auto's, de parkeergarages, de fietsen en op het openbaar vervoer.

Dit was me mijn eer te na. Het was míjn Scheveningen, en ik liet me de kaas niet van het brood eten, en zeker niet door natuurgeweld.

Ik hief mijn hand, sprak op rustige toon enkele woorden die hier onopgeschreven kunnen blijven, en werd al vrij snel beloond voor mijn 'inspanningen'. De noodweerwolken maakten pas op de plaats, vielen kort daarna uit elkaar, en verbrokkelden. De windhoos schuin achter de Pier verdween zelfs nog sneller.

Het duurde niet lang voordat verreweg de meeste badgasten op hun schreden terugkeerden. Zij hadden nog uren zon en zee te goed, en spreidden opnieuw hun badhanddoeken uit, en hun strandspullen.

De zee kwam langzaam tot bedaren.

Ikzelf liep niet door richting het strand, maar wandelde naar mijn auto, die aan het begin van het Zwarte Pad stond.

Ik betaalde bij de betaalautomaat, passeerde de slagboom voor het parkeerterrein, en reed Scheveningen uit en Den Haag in.

Graag gedaan.

DE KROKETTENAMBASSADEUR

Dinsdagavond, kwart voor tien, en het was druk in strandpaviljoen The Blue Lagoon in Scheveningen.

Op de boulevard toeterden opgevoerde Golfjes, en Toyota's met uitgebouwde wielkasten. Ikzelf keek de kant van Engeland op.

De zon zakte in slow motion tot vlak boven zee, en begon te blozen. Hadden die twee soms iets met elkaar, de Noordzee en de zon?

'Kijk,' zei Ton. Hij wees naar de branding, waar iemand tussen de golven stond met een witte badmuts op. 'Daar gaat mijn vrouw.'

'Duimen dat ze terugkomt, Ton,' zei ik.

Ton kwam uit Tilburg, had dertig jaar van zijn leven besteed aan het ontwikkelen van kroketten – 'Ken je Mora? Daar werkte ik voor' – en genoot nu van zijn pensioen. Hij en zijn vrouw waren een weekje in Den Haag, later deze maand gingen zij naar de Côte d'Azur.

'Wat me nooit is gelukt,' zei Ton, 'dat is om Amerika aan de kroket te krijgen. Nee. Kijk, Nederland, dat is een friturende natie, en de States... Op papier zag het er goed uit.

Op papier.

The Frying Dutchman, zo heette mijn bedrijf. Ik ging de bars en restaurants langs de Hudson af, om de geesten rijp te maken. Het bruggenhoofd. Van daaruit...

"Do you want a bitterball?" Nou, eerst niet, zo'n barkeeper, maar zijn klanten dolgraag. "Hey, you! Can I have some more, of them balls?!"

Toch liep het mis. Ik liet een frituurwand speciaal uit Nederland invliegen. Bleek de plaatselijke gasleiding... *unadjustable*. Het was gelijk *bye bye*. Einde oefening. Na mij heeft niemand 't nog aangedurfd, kroketten en Amerika.'

Ton stond op, en staarde naar de branding.

Het was zonneklaar dat hij van zijn vrouw hield; maar ook dat hij de kroket, die andere passie in zijn leven, hartstochtelijk miste.

OP DE MELIS STOKELAAN

Gisterochtend werd ik in alle vroegte wakker, achter het stuur van mijn auto. Die op de Melis Stokelaan stond, zag ik, toen ik uit het raam keek.

Links van me toonde het Zuiderpark zijn groenste gezicht. Rechts, aan de overkant van de straat, keek een laag, geel flatgebouw me slaperig aan.

Daar moest ik trouwens mee oppassen, met dat uit het autoraam kijken, want mijn hoofd leek van eikenhout.

Hoe was ik hier terechtgekomen? Wat was er gebeurd, vannacht? Waar had ik uitgehangen; en, minstens zo belangrijk, met wie? Vragen waar ik in de verste verte het antwoord niet op wist. En wilde ik die antwoorden eigenlijk wel weten?

Ik had straks thuis een hoop uit te leggen, dát wist ik wel.

Drie Marokkaanse jongens – díe waren er vroeg bij – probeerden gezamenlijk op een fiets te klauteren, aan de overkant, en weg te rijden; wat hun na enige oefening ook lukte.

Goed voorbeeld doet goed volgen, en ik startte de motor en reed weg.

Maar erg ver kwam ik niet.

Ter hoogte van de Moerweg was het beste er wel vanaf, van mij. En aan het eind van de Fruitweg, bij de

Wouwermanstraat, zag ik me genoodzaakt te stoppen.

Bij de tramhalte stond een oudere vrouw in boerka mobiel te bellen. Het gesprek verliep naar wens, want zij lachte veelvuldig.

Terwijl ik bij zinnen kwam, naderde de eerste tram, eentje van lijn 9, die op weg was naar Vrederust. ‘Vrederust’, dat klonk enigszins dubbelop. Zo bij was ik dan weer wél, dat me dat opviel.

Een vliegtuig stak hoog in de lucht het verkeersplein over. Te hoog, in elk geval, om te bepalen namens welke luchtvaartmaatschappij.

Het toestel vloog in een rechte lijn, en koerste zonder omwegen op zijn doel af.

Dat laatste, overwoog ik, kon ik van mezelf allerminst zeggen.

EEN OVERLIJDENSBERICHT, EN EEN GOEIE VRAAG

Soms waardeer je je woonplaats extra als je er een tijdje niet bent geweest. Na een zomervakantie, bijvoorbeeld.

Weken was je weg; en nu, na een uitputtende dag rijden, nader je Den Haag. En bij het zien van je stad, de letterlijke hoogtepunten in de verte, in de augustuszon, leef je op. Ook de kinderen achterin veren uit hun stoelen, en noemen enthousiast de hen bekende plekken op. 'Pap! Daar! Het Strijkijzer! En daar, het ADO-stadion!'

Even later stop je in je straat. Terwijl de andere gezinsleden de bagage uit de auto slepen, maak jij de voordeur open en probeert door de berg folders, post en kranten je eigen huis in te komen.

Thuis.

Je bent, na een paar weken Frankrijk, terug in Den Haag. Terug op de plek waar je hoort.

'O, madame et monsieur,' zei de eigenaresse van ons vakantiehuis. 'Mijn echtgenoot, *mon mari*, is vandaag precies een week geleden overleden, op de kop af.'

We waren net uit Nederland aangekomen, en stonden op het grindpad.

'Aan kanker,' voegde madame LeGoff eraan toe.

Ik keek naar de beboste vallei voor het huis, en toen weer naar madame LeGoff.

'Eerst zijn alvleesklier, daarna...'

Haar man deed álles, vertelde ze, 'zijn hele leven, *tout*'. Maar dat kon zij niet opbrengen, en dus zouden de schapen worden verkocht, *les moutons*, en de appelboomgaard.

Ik staarde naar de Normandische lucht.

'*Mon mari*,' verzuchtte ze, 'werkte áltijd. Dat is niet goed, hè. Hij heeft nooit eens kunnen genieten, nooit. En daar gaat het om, in het leven, de rust vinden om te genieten.'

Ik was het roerend met haar eens, met madame LeGoff; toen ik voor het vakantiehuis stond, en ook nu, terug in Den Haag.

Bleef de vraag: Genieten... Hoe dééd je dat?

Hoe pakte je zoiets aan?

EEN VOORTIJDIG EINDE AAN EEN GESLAAGD HUWELIJK

Ze vertrokken uit Den Haag, als man en vrouw, met drie kinderen en een hond. Bijna eenentwintig jaar getrouwd.

Toch vergat hij steevast haar verjaardag. En zij daarom de zijne.

Bijna vier weken later, na de zomervakantie in Normandië te hebben doorgebracht, keerden ze terug in dezelfde auto, met dezelfde kinderen en dezelfde hond.

Het verschil tussen begin en eind augustus? Hun huwelijk was voorbij.

Hoe had dat kunnen gebeuren? vroeg hij zich telkens af. Waar was het spaak gelopen? Wat ging er mis?

Was de druppel die de emmer deed overlopen het voortdurende geruzie van de kinderen? De oudste een puber, met het bijbehorende pubergedrag; de twee anderen te jong om hun broer en diens gedrag aan te kunnen, wat weer tot nieuwe ruzies leidde – had dat het laatste, beslissende zetje gegeven?

Het ging mis in Couronne-les-Deux-Églises.

Hij parkeerde de familiewagen op het plein voor het gemeentehuis, de *Mairie*, pal voor een huis dat te koop stond. Er stonden sowieso veel huizen *À Vendre* in deze streek. Het Franse platteland beleefde duidelijk geen hoogtijdagen.

De *Église* was dicht.

Op de hoek tegenover de kerk was een *Bar-Tabac*, die Chez Lou Lou heette. Hij was benieuwd naar dat café, en vooral naar Lou Lou.

Zij niet.

Zij was in de verste verte niet benieuwd naar de aanwezigen in het café, of naar het interieur, en al helemáál niet naar wie zich voor Lou Lou uitgaf. En wenste niet naar binnen te gaan, maar liep door, het stoffige straatje uit, tot bij een tweesprong.

Een oude poes sloop weg; die voelde nattigheid.

Links, een goeie honderdvijftig meter verderop, stond de andere *Église* waaraan het plaatsje zijn naam ontleende; maar een tweede kerk op één dag vond zij niet de moeite van het bezichtigen waard, en bovendien te ver lopen.

Ze stapten in de auto en reden het gehucht uit, om op weg te gaan naar Thibierville, waar ook van alles te bezichtigen viel.

Na haar opmerking over zijn 'veel te hard rijden', 'Ik kan het hónderd keer tegen je zeggen, dat je veel en veel te hard rijdt, en dat op die smalle Franse wegen met die kinderen achterin, maar het heeft toch geen zin, want je hoort het niet. Je hóórt me niet eens. Nee, erger nog, je lúistert niet eens. Dringt er überhaupt wel eens iets tot je door, íets?', en een zoveelste hoogoplaaiende kinderruzie achterin, was hij het plotseling zat, stopte, keerde de wagen op een landweggetje en reed terug naar hun vakantiehuis.

Kort daarop was zij met twee van de drie kinderen vertrokken, zonder iets te zeggen. Waarheen wist hij niet. En om vol te houden dat hun bestemming hem erg bezighield, dat zou overdreven zijn. Zijn oudste zoon zei niet veel, en de hond ook niet.

Toen hij op het terras zat, stak een briesje op, dat over de vallei streek, en over de bomen, en allerlei pluizen van paardebloemen de lucht in dreef.

Nu trokken ze langs het terras, die pluizen en pluisjes; ze vlogen voorbij, hoger de lucht in, en waren weldra uit zicht verdwenen. Zo had hij al heel wat tijdens zijn leven uit zicht zien verdwijnen. Dit, die pluizen en pluisjes, die konden daar nog wel bij.

Later kwam een zestal koeien voorbijgeslenterd, koeien die hier tweemaal daags passeerden, omdat hier hun drinkbak stond. Maar ook zij sjokten verder, want de bak was door de aanhoudende droogte leeggevallen.

De boer vulde de bak niet bij. Er liep beneden in de vallei een dun stroompje. Dat wist hij, de boer, en dat wisten zijn koeien ook.

Nog later begon het zachtjes te regenen.

Hij klapte de parasol in, liep het huurhuis in en sloot de ramen en luiken van de slaapkamers boven, en besefte plotseling dat hij niet meer van haar hield, en dat hun huwelijk over was, voorbij, *beyond repair*.

'Waarom hou je eigenlijk van me?' had ze de avond ervoor in bed gevraagd. 'Want jij kan best iets beters krijgen.' Een bespottelijke uitspraak, die hij had weggewuifd. Een vraag die ze vaker stelde, de afgelopen maanden, de reden waarom hij van haar hield. Alsof hij nooit tot een voor haar afdoende bevredigend antwoord in staat was gebleken.

Maar hij besefte nu dat dat waar was. Dat wil zeggen: hij was niet zozeer toe aan iets 'beters', maar wel aan iets anders.

Zij was altijd, vanaf hun eerste ontmoeting, haar eigen wereld geweest; een andere wereld, waar hij niet bij kon. Maar wat die 'andere wereld' behelsde, was een raadsel dat hem niet langer boeide, en dat wat hem betreft rustig on-ontraadseld mocht blijven.

Hij zag hun toekomst scherp voor zich. Zo veel verbeeldingskracht vergde dat niet. Ze zouden nog een tijdlang bij elkaar blijven, 'voor de kinderen', tot die het huis uit zouden gaan.

O, er zou niet met serviesgoed worden gesmeten, of met deuren. Het meeste bleef heel. Maar zij hadden elkaar niets meer te vertellen, daar kwam het op neer.

Ook de hond bracht hen niet dichter bij elkaar. Het was haar hond, en niet de zijne.

Later die middag hoorde hij het onweren, ver weg, in westelijke richting. Maar hij had geen behoefte om daar een voorteken in te zien, of een signaal of een symbool van wat-dan-ook. Dat had hij nooit gehad, de wil om ergens een vooraankondiging van ophanden zijnde gebeurtenissen in te zien, en hij was niet zó wanhopig dat hij daar nu alsnog mee wenste te beginnen, met het lezen van 'tekens aan de wand'.

Om een uur of vijf, kwart over vijf, begon het hard te regenen. Alsof de drinkbak van de koeien alsnog diende gevuld, en wel vandaag.

Daar bleef het bij, bij hard regenen. Het onweer rukte niet heel veel verder op; althans, het deed de omgeving van hun vakantiehuis niet aan.

En nog later, na de buien, wolkte een nevel uit de vallei tegenover het huis op; een nevel die zich verdichtte tot mist, die langzaam door het dal trok, en zo bezit nam van de vallei.

Nog altijd was zij niet thuis, en daarmee ook de kinderen niet.

Dat, zijn twee kinderen, deed hem denken aan twee andere kinderen, meisjes, die zij gisteravond hadden gezien, toen zij uit eten gingen in Cordebugle, en alles nog koek en ei was onderling, althans zo op het oog.

Op het kruispunt van de doorgaande weg die door Cordebugle voerde, voor de Vital, de minisupermarkt die het gehucht rijk was en die blijkens een bordje aan de deur tevens als plaatselijk *dépot de pain* fungeerde, was tegen vijf uur een oude Mercedes verschenen die een pizzakar voorttrok.

De achterbak van de Mercedes ging open, en de oudste dochter hielp haar moeder met het uitzetten van de klapstoeltjes, een drietal wankele plastic tafels en twee in- en uitvouwbare palmbomen. Daarmee was de mobiele pizzeria gereed, en in bedrijf. De jongste dochter – die in een te grote jurk rondhobbelde, een afdankertje van haar zus – hoefde nog niet mee te helpen, die mocht volstaan met touwtjespringen, een paar meter verderop, waar ze met haar sprongen en touw geen kwaad kon. Haar tijd om in het gezin mee te helpen kwam nog wel, en waarschijnlijk eerder dan haar lief was. De dagen van het onbezorgd touwtjespringen zouden weldra zijn geteld.

Toen zij tegen elven de *Aubergerie* verlieten, na ferme handdrukken van de eigenaar, de kok en de ober, zagen ze in het supermarktlicht nog net hoe de oudste dochter in haar rode jurk met zwarte noppen de plastic boompjes inklapte en in de achterbak van de Mercedes schoof.

Om twaalf over elf dook de oudste achter in de Mercedes, waar haar zus al sliep, de portieren sloegen dicht, en even later vertrok het gezin, op weg naar een volgende standplaats, morgenmiddag.

—

Toen zijn vrouw eenmaal wél terugkwam, en zij de auto met een ruk naast het huis parkeerde, volgde er geen uitleg over het hoe en wat, of het waarom.

Ook de twee kinderen zeiden niet veel; die mompelden wat, en dropen snel af naar hun kamers.

Zonder verder overleg besloten zij tot een gewapende stilte. Op die basis kon je het nog knap lang met elkaar volhouden, was de onuitgesproken veronderstelling, en bleven de op te vegen scherven beperkt in aantal.

Na een tijdje stond de hond op, rekte zich uit en ging in de tuin liggen, op een plek waar hij huis en auto in de gaten kon houden.

Niet lang daarna begon het te donkeren buiten.

Met die stand van zaken keerden ze een week later terug naar Den Haag. September naderde, de scholen gingen weer beginnen.

Restte het elkaar 'bedriegen' de komende jaren: zij hem met een andere man; hij haar met andere vrouwen. Al was er van bedriegen strikt genomen geen sprake, want zonder er verder veel woorden aan vuil te hoeven maken, wisten zij nu van elkaar waar zij stonden, en dat bitter weinig hen nog bond.

Zijn leven zou langzaam opdrogen; en haar leven ook, maar minder snel.

Terug in Den Haag pakten zij hun werkzaamheden weer op. Het was het einde van iets, maar op de een of andere manier ook een soort van nieuw begin.

Zij bleven in Den Haag wonen. Den Haag was voor hen beiden goed genoeg als decor voor hun verdere leven, vooralsnog. Al twijfelde zij soms, en verlangde ze sterk naar Amsterdam, waar zij was opgegroeid en het grootste deel van haar jeugd had doorgebracht, en overwoog zij soms om terug te keren naar die stad, waar verreweg de meesten van haar vrienden woonden, een terugkeer naar Amsterdam die er sowieso op termijn van zou komen.

Ja, wist zij zeker, zij zou Den Haag – een stad waar zij zich toch al nooit écht had thuis gevoeld – opgelucht de rug toekeren, te zijner tijd, en zich opnieuw in Amsterdam vestigen.

Ja, daar zou het van komen, van een terugkeer naar waar haar wortels lagen.

Maar zover was het nu nog niet.

PRINSJESDAG

Ik meldde me bij de ingang van het Binnenhof, in de partytent bij de beveiliging. Aan het tentdak schommelde een kroonluchter lichtjes heen en weer. Het was Prinsjesdag tenslotte, en geen doorsneedinsdag.

In de verte zag ik Wouter Bos lopen. Het was een man, Wouter Bos, die over een soepele glimlach beschikte; maar een glimlach waar per saldo niet veel lach in zat.

Ik gaf mijn sleutels en muntstukken af en liep door het detectiepoortje, dat prompt begon te piepen. 'O, ik zie het al,' zei de beveiligingsmedewerker die me fouilleerde, 'uw broekriem heeft een metalen gesp, vandaar dat u piept.'

Achter twee staatssecretarissen aan liep ik het Binnenhof op.

'Ik keek vanmorgen uit het raam,' hoorde ik de een tegen de ander zeggen, 'en dacht: het miezert, dat wordt niks vandaag.'

'Ja,' beaamde de ander, die optimistischer in elkaar stak dan zijn collega, 'maar kijk nu eens? Niks geen regen, de zon schijnt.'

Links en rechts werden de dranghekken nogmaals op deugdelijkheid gecontroleerd.

'Ik ben van de pers,' zei een vrouw-op-leeftijd, die overduidelijk niet van de pers was, tegen de twee kabinetsleden. 'Mag ik jullie fotograferen?'

De twee poseerden gewillig.

Ik stond voor de ingang van de Eerste Kamer, naast Hans Vlaskamp, brigadecommandant van de Koninklijke Marechaussee. Van ver klonk marsmuziek. Elders in de stad was de ceremonie begonnen.

Hans Vlaskamp checkte zijn horloge. 'Bijna één uur,' zei hij. 'Ze komen eraan.' En hij monsterde zijn mensen die de wacht hielden bij de rode loper voor de Ridderzaal.

'Dat jouw jongens niet omvallen,' zei ik, 'die staan al uren in de zon.'

Er trok een grijns over het gezicht van de brigadecommandant. 'Zie je die "koolbakken" die mijn mensen ophebben, die hoge bontmutsen? Boven op dat hoofddeksel zit een luikje, zeven bij zeven centimeter. Dat zet je open als de zon schijnt, dat venstertje, ter verkoeling. Een goed bewaard geheim, dat luikje, want dat schuifje kun je alleen van bovenaf zien.'

Een man liep de Ridderzaal uit, die met een stofzuiger nog één keer huiselijk de rode loper afstruinde. Van welk merk zou die stofzuiger zijn? vroeg ik me af. Miele, Philips, of was het er eentje van Electrolux? Om een Dyson ging het in elk geval niet, want het apparaat was niet doorzichtig.

Een duif maakte zich los van de dakgoot van een parlementsgebouw aan de overkant van het plein, landde op het Binnenhof en scharrelde op zijn gemak tussen de soldatenlaarzen door, op zoek naar iets eetbaars.

De erehaag voor ons verroerde geen vin, en liet de duif de duif.

'Daarbij,' vervolgde Hans Vlaskamp, 'mijn mensen

zijn wel wat gewend. Alleen bij de dood van Claus hebben we dat geoefend, urenlang in de houding staan.'

'Hoe oefen je zoiets?' wilde ik weten.

'Door het te doen,' antwoordde Vlaskamp. 'Zette ik mijn mensen in het gelid, vertrok, en kwam ik uren later terug, na de koffie en de lunch, stond iedereen nog kaarsrecht overeind. Nee, mijn jongens vallen niet om.'

Toen kwam de Gouden Koets, met de koningin; die een uurtje later weer vertrok.

De Ridderzaal liep leeg, en de politici, de genodigden en hun gasten verlieten het plein. Een paar Japanse toeristen fotografeerden elkaar uitgebreid bij de fontein.

En nog een uur later lag het Binnenhof er leeg en verlaten bij; alsof er vanmiddag eigenlijk niet zo heel veel bijzonders voorgevallen was.

OVER NAPOLEON; EN HOE HIJ OP ELBA TERECHTKWAM, EN OP SINT HELENA

Mijn lief wilde een hond, en de kinderen wilden dat ook.

Dus kwam er een hond.

Na lang zoeken en het afwegen van allerlei voors en tegens besloten we tot de aanschaf van een Maremma, een soort ijsbeer, genoemd naar het bergvolk van de Maremmen: Italiaanse schaapherders.

Oktober vorig jaar kwam-ie, een pup, acht weken oud.

'O, wat is-ie schattig!' vonden de kinderen, en mijn lief vond dat ook.

'Hoe zullen we 'm noemen?' vroeg ik. 'Elvis?'

'Nee, pap,' zei Storm. 'Niet Elvis.'

'Dinges, dan?' stelde ik voor.

'Dinges?' Storm schudde meewarig zijn hoofd. 'Wat is dát voor een stomme naam, pap, Dinges? Nee, geen Dinges. Dinges, dat is niks.'

'Waarom,' merkte Splinter op, 'noemen we hem geen Napoleon?'

Dat vonden we allemaal een geslaagde naam, zonder dat daarover gediscussieerd hoefde te worden; en zodoende hadden wij nu een hond die Napoleon heette.

Een week later liet ik Napoleon uit, die een plastic zakje te pakken kreeg. Ik wilde het uit zijn bek trekken en werd prompt vol in mijn hand gebeten.

'Bart,' zei mijn buurvrouw, die zelf een airedaleterrier heeft, 'dat is niet normaal, hoor, zo fel als-ie in jouw hand... Zó klein, zó jong nog, en dan al zó... Zoiets heb ik nog nooit meegemaakt. En ik heb mijn hele leven al honden gehad. Hoe oud is-ie dan helemaal? Negen weken? Nee, dat klopt niet hoor, daar moet je wat aan doen, voordat er ongelukken gebeuren. Jij hebt kleine kinderen, en...'

Ik belde degene die ons de hond had verkocht. 'Tja,' zei zij, 'dát is een Maremma, hè? Dat zakje was zijn prooi, en dat moet je niet willen afpakken.'

Acht dagen later, op een zondagavond, griste Napoleon een Albert Heijn-quiche van de keukentafel en maakte aanstalten om deze op te eten.

Toen Storm dat wilde verhinderen, hapte de hond naar Storms arm. Mijn lief zag dat, maar toen zij wilde ingrijpen beet Napoleon haar in haar knie. Een halfuurtje later meldden wij ons in het ziekenhuis, voor een tetanusinjectie.

'Hmm,' zei de dienstdoend arts terwijl hij naar de bloedende knie keek. 'Leuk hondje heeft u. Daar gaat u nog een hoop plezier aan beleven.'

Later die avond, toen de gemoederen tot bedaren waren gekomen, belde ik opnieuw de fokker.

'Tja,' zei de fokker, 'als een Maremma zoiets eenmaal te pakken heeft, etenswaar, dan is 't van hem, dan beschouwt-ie dat als zijn eigendom, zo'n lekker hapje, en dan laat-ie niet toe dat je dat alsnog afpakt. Daar is 't een Maremma voor, hè. Dat kun je hem in feite ook niet kwalijk nemen, zoiets. Je moet zorgen dat-ie niet bij jullie eten kan, dat is het hele probleem eigenlijk.'

Naarmate de maanden vorderden, stapelden de incidenten zich op.

'Pap,' vertelde Splinter bij het avondeten, 'ik durfde vanmiddag niet meer van de tuin de keuken in.'

'Hoezo niet, Splint?' wilden mijn lief en ik weten.

'Napoleon gromde zo. Toen ben ik maar in het zwembadje gaan staan, om te wachten tot een van jullie zou thuiskomen. Napoleon houdt niet van water.'

Een week later was het opnieuw raak.

'Pap,' zei Maurits, 'kun je me even helpen? Ik heb haast, moet naar voetbaltraining, maar ik durf het huis niet uit. Napoleon gromt en kijkt zo kwaad naar me dat ik er niet langs durf, naar de voordeur. Straks bevalt 'm iets niet en hangt-ie in mijn been.'

Dat werd me te gek. Ik liep naar beneden, opende de deur waar Napoleon voor lag; en gooide de deur meteen weer dicht, zo vervaarlijk gromde hij. Daarbij toonde hij zijn ontblote tanden, een gebit waar je groot ontzag voor had als je leven je lief was.

'Nou is 't afgelopen,' zei ik, en ik zocht boven naar een losse plank van de boekenkast.

Eenmaal beneden deed ik de deur naar de gang open en wilde Napoleon met de plank opzijschuiven.

Maar van opzijschuiven kon geen sprake zijn.

Napoleon zette woedend zijn kaken in de plank en rukte het stuk hout uit mijn handen, om het niet meer los te laten.

Ik smeet de deur dicht.

Het duurde zeker anderhalf uur voor Napoleon tot bedaren was gekomen, en wij van hem de gang weer in mochten.

Ik overwoog de fokker te bellen, maar besloot na enig nadenken om daar toch van af te zien. Zonder twijfel was ik de schuldige aan de problemen, en niet de hond.

Weer een week later stond ik in een benzinestation te tanken, toen een mevrouw op me afliep die een pomp verderop aan het tanken was.

'Bent u de eigenaar van die mooie witte hond, Napoleon? Ja? Dan moet ik u toch waarschuwen. Sorry dat ik me ermee bemoei, maar... Ik was van de week bij Albert Heijn, een van uw zoontjes liep met Napoleon, de hond kreeg een stuk plastic te pakken, en ik zag dat uw zoon dat niet uit zijn bek durfde te halen. Ik denk: ach, die arme jongen, ik help 'm wel even. En ik pak een brokje, om zijn aandacht af te leiden, geef het aan de hond en terwijl-ie het aanneemt wil ik het plastic uit zijn bek... Beet-ie me in mijn bovenarm. Ja, ik had gelukkig een dikke jas aan, en een vest eronder, en...'

Ik moest denken aan wat de fokker me had gezegd, over prooien en een prooi weer afpakken. Maar zij was me voor.

'Begrijp me goed, het was mijn fout. Ik heb jaren honden gehad, en ik had dat plastic nooit zomaar mogen afpakken, dat uw hond beet was volkomen mijn eigen schuld, ik neem u ook niets kwalijk, maar evenzogoed... U moet toch oppassen, want vandaag of morgen komt er een klein kind door de winkelstraat aangehuppeld, nietsvermoedend, en... Ik denk: ik moet het u tóch even zeggen. Nog een prettige dag verder.'

En met die woorden liep zij terug naar haar auto, een Fiat, en bukte zich over de slang om de tankbeurt af te maken.

De situatie werd onhoudbaar.

Toen Napoleon op een zomeravond tijdens een zorgeloze duinwandeling op de Waalsdorpervlakte onverhoeds achter een fietser in de verte aan ging, en mijn lief hem maar met moeite van een aanval kon weerhouden, was de maat vol.

Ik bracht Napoleon naar een hondenhotel in Lelystad, waar ene Linda zich over onze hond ontfermde, en intensief met hem ging trainen. Zo zou Napoleon worden heropgevoed.

'Ik weet niet óf het lukt,' zei Linda, 'daar ben ik heel eerlijk in, maar we gaan het proberen. We gaan er alles aan doen. Meer kan ik niet beloven. En als het lukt, kan-ie na jullie vakantie mee terug naar Den Haag.'

We vertrokken zonder hond op vakantie, iets wat de rust en harmonie binnen het gezin overigens ten goede kwam.

'Nee,' zei Linda vier weken later, 'Napoleon kan niet terug naar Den Haag, zoiets is onverantwoord, met Splinter en Storm. Ik bedoel, je moet het natuurlijk zelf weten, het is jullie beslissing, en ik kan jullie slechts adviseren, maar wij vinden hier allemaal, stuk voor stuk, dat... Napoleon heeft van de week nog een jongen aangevallen, een jongen van vijftien, die opeens de hoek om kwam... Den Haag is eigenlijk geen optie. Daar kan ik niet voor instaan, voor de eventuele gevolgen van een terugkeer van de hond naar jullie gezin, met twee kleine kinderen over de vloer.

Maar geen nood, ik heb mensen gevonden, in Venray, die willen 'm graag hebben, Napoleon wordt herplaatst. Het zijn mensen die hun hele leven honden hebben gehad, ook Maremma's, en zelfs één keer een lastige Maremma-reu, dus die kennen hun pappenheimers, die hebben vaker met dit bijltje gehakt. Kijk, een garantie dat het goed gaat heb je nooit, maar... Als het érgens zou kunnen lukken, met Napoleon, dan is het wel bij deze mensen, de familie Vermoolen, Hans en Trudy.

Ik heb ze helemaal op de hoogte gebracht,' vervolgde Linda, 'alle ins en outs. Ze weten van Napoleons prooinijd en van zijn voederbakagressie. Kortom, ze weten waar ze aan beginnen. Het zal niet makkelijk zijn, dat beseffen zij ook, maar ik geef hun een goeie kans. Hij werkt met jongeren die kampen met gedragsstoornissen, en zij werkt in een gevangenis, dus maak je geen zorgen... Die twee kunnen tegen een stootje.

En lukt het om 'm in het gareel te houden, dan heb je er een wereldhond aan. Want hij is óók ontzettend mooi en lief. Of beter gezegd: hij kán zo lief zijn.'

Zo verkaste Napoleon vorige week van Lelystad naar Venray, in plaats van naar Den Haag.

We lieten hem nog één keer uit, voor het laatst, in het bos naast het dierenhotel, een wandeling die in pais en vree verliep, maakten uitgebreid foto's van elkaar met de hond, voor 'later', ter herinnering, en droegen hem toen over aan Hans en Trudy; die, om het afscheid voor ons niet al te moeilijk te maken, vrijwel ogenblikkelijk met Napoleon achter in de auto naar Venray vertrokken.

Stilletjes reden we terug naar Den Haag, in het besef dat we *somehow* gefaald hadden, zonder dat we hadden gefaald.

—

Zondag gaf Napoleon over in de woonkamer.

Toen Trudy het braaksel wilde opruimen, gromde Napoleon; en toen zij vervolgens toch aanstalten maakte om het kleed schoon te maken, beet hij in haar arm, maar hij beet niet door.

Eergisteren viel hij Trudy's dochter aan, toen zij onaangekondigd haar ouderlijk huis in wandelde.

Hij beet haar eerst in haar bovenarm; en toen zij zich wist los te rukken en zich afwendde, beet hij haar in haar rug, tussen de schouderbladen.

'Ik kon de hond,' bracht Trudy me telefonisch op de hoogte, 'maar ternauwernood van mijn dochter af trekken, zo verbeten ging-ie tekeer. Ik dank God op mijn blote knieën dat-ie mij niet beet, want stel dat ik hem had losgelaten... Ik ben nóg verbijsterd over wat er gebeurde. Hans is er ook stuk van.'

Het bleef even stil, aan de Venrayse kant van de lijn.

'Hij wilde met alle geweld achter mijn dochter aan, daar was-ie nog helemaal niet klaar mee, bij lange na niet... Geen idee wat er plotseling in hem gevaren is, want het lijkt wel een heel andere hond... Hij was *in for the kill*, Napoleon, koste wat kost.'

Ik vroeg me af wat de fokker van dit zoveelste incident zou zeggen, en van de ernst van dit voorval, maar ik belde haar niet.

Hans en Trudy waren met hun dochter naar het ziekenhuis van Venray gereden. Daar werden de verwondingen gehecht.

'We zijn ons kapot geschrokken,' vervolgde Trudy. 'En ik voel me zó schuldig ten opzichte van mijn dochter. Die zit hier nog na te trillen op de bank. Hij ging vol in de aanval, de hond. Eerder deze week wilde hij onze zoon al aanvliegen, maar dat konden we nog voorkomen. Toen drong de volle ernst van de situatie nog niet tot ons door. Maar na de gebeurtenissen van vanavond...

Hans en ik overleggen morgen met Linda en onze dierenarts over wat we moeten doen. Want zo kan het niet. En de rest van zijn leven met een muilkorf om in de achtertuin, dat is ook geen leven. Bovendien is-ie net één jaar, hij wordt met de week sterker...'

'Jongens,' zei ik vanochtend bij het ontbijt, toen de jongens hun boterhammen voor school zaten te smeren, 'niet schrikken, maar...'

Ik keek uit het keukenraam. Her en der in de tuin

lagen nog speeltjes die Napoleon afgekloven had, stukken touw, een bal met witte nopjes en dingen die 'piep' deden als de hond erin beet.

'Jongens,' zei ik, 'Napoleon is dood. Hij is gisteravond ingeslapen, om tien over halfzeven.'

We staarden naar de karnemelk op tafel, en naar de cornflakes en de potten jam en pindakaas.

Toen kwamen de tranen.

ON YOUR BIKE

'Héééééé, Bargggtt!!' klonk de zwareshagstem van René Bom.

René zat op een oranje fiets die leek op een chopper uit *Easy Rider*, maar dan eentje zonder motorblok.

'Wat doe jij,' vroeg ik, 'op een fíets?' Een vraag die bij me opkwam omdat René Bom niet alleen al zijn hele leven oogt alsof-ie een Harley Davidson rijdt, maar ook op die motor slaapt.

'Ik ben gids,' antwoordde René. 'Ik leid de mensen rond door Den Haag, op de fiets. Rij een keertje mee, joh.'

Gisteren meldde ik me in een steegje op het Noordeinde.

René had drie doodskopringen om zijn vingers, à la Keith Richards, en een T-shirt aan met de tekst SHIT HAPPENS.

Om hem heen dwarrelden elf vrouwen. Een van hen, Marianne, was jarig, en dat vierden zij nu met een fietstoer van René.

Opgewekt peddelde René door rood. 'Kijk,' riep hij, 'zag-ie die stoplichten? Die doen niet mee, met mijn route.'

We kwamen bij ijssalon Florencia. 'Weten jullie,' vroeg René, 'hoe de grote baas van Florencia aan zijn einde kwam? Als je bij Florencia werkte, mocht je nooit een stropdas om, vanwege het gevaar dat je ermee in een machine vast zou komen te zitten. Op een zondag gaat de baas naar de zaak, controle, zondagse stropdassie om... Wat denk-ie dat er gebeurde?'

Met die woorden stapte René op zijn chopper en fietste monter verder.

'Jaren terug,' vertelde René in de paleistuin, achter de Koninklijke Stallen, 'loop ik buiten met Frits, een pianist, die nu alweer jaren dood is, zoals veel van mijn vrienden, vliegt zijn hondje de tuin in, die glipte zo tussen de spijlen van dat hek door naar binnen, dat pleurisbeessie. De poort was hermetisch dicht. Maar de marechaussee had geen zin om er zelf achteraan... We mochten de paleistuin in, wij vangen die hond, komen de tuin uit, scheert er een wagen langs met een blonde vrouw achterin, op weg naar het paleis. 'Zag-ie dát?' zeiden we tegen elkaar, Frits en ik. 'Wát een lekker wijf!'

Bleek het Máxima te zijn, achteraf. Het Paleis Hotel, hierachter in de Molenstraat, zat al dagen volgeboekt met paparazzi, die er lucht van hadden gekregen dat er iets ophanden was, maar... Niemand kende haar nog, Máxima, niemand had haar ooit gezien. Wij waren de eersten.'

René stak het Piet Heinplein over, op weg naar de Barentszstraat, waar 'Barry Hay vroeger woonde, op nummer 50', op de voet gevolgd door zijn elf vrouwen.

René grijnsde en liet zijn fietsbel rinkelen. Ja, daar ging een man die het ontegenzeggelijk goed voor elkaar had in het leven.

FILMPJE

Het schemerde.

En kort daarna al was de zon in vorm; in topvorm, zelfs. Daar kwamen geen ochtendlijke rek-, strek- of stretchoefeningen aan te pas, en ook geen warming-up.

De zon stónd er ineens, deze donderdagochtend, vrijwel vanuit het niets. Ja, de zon scheen alsof het morgen Prinsjesdag was, en de nieuwe begroting en kabinetsplannen wel wat extra licht en warmte konden gebruiken.

Dankzij het nazomerweer liepen boulevard en strand óver van de mensen die het ervan namen nu-'t-nog-kon. Kortweg gezegd, iedereen had het geweldig naar de zin.

Bijna iedereen.

Ik koos een plekje in het zand, ter hoogte van de Buena Vista Beach Club. Links van me lag een man van een jaar of veertig, die een meisje streelde dat aanmerkelijk jonger was. Rechts luierden een paar gezinnen.

Ik keek naar de buitelingen van de vliegers en kites boven het strand. En noteerde enkele indrukwekkende staaltjes luchtacrobatiek. Maar vergeleken met de loopings en vrilles die de meeuwen bijna achteloos uitvoerden, wonnen de vogels het op hun sloffen van de vliegers. Zo lagen de verhoudingen ongeveer.

Toen hoorde ik enig tumult, links van me. Er naderde een rupsvoertuig, omgeven door fotografen en cameraploegen. Op de truck stond Pierre Wind. Ik herkende hem, ondanks de soldatenhelm op zijn hoofd. Naast hem stond nog iemand, die ik niet zo een-twee-drie kon thuisbrengen.

De truck stopte voor de Buena Vista. Eén cameraman maakte een shot van het strand, en filmde de badgasten.

De man naast me schoot overeind, om woedend verhaal te halen. Het stukje film mocht 'onder geen vóórwaarde' worden gebruikt, daar kwam het op neer, want dan zou hij er 'werk van maken, met mijn advocaat'.

'Nee, stel je voor,' mompelde een journalist tegen een collega, 'anders ziet zijn vrouw straks op tv dat-ie vanmiddag op Scheveningen zat, met zijn maîtresse.'

TOEN WAS HET VOORRAADJE DROMEN OP

Ik haalde Ilse op in Morgenstond.

We gingen naar een huwelijk, in Oud Ade, een gehucht boven Den Haag.

Ilse was achtendertig. Jong genoeg om nog heel wat kanten op te kunnen; maar niet meer alle kanten. Ze had twee kinderen, en een man die er al een paar jaar vandoor was.

Ilse droeg een jurk waar niet al te veel textiel aan te pas was gekomen.

'En,' vroeg ik, 'hoe is 't met je liefdesleven?'

'Ik rommel.' Vorig weekend met een gitarist uit een jazzorkest, eergisteren met een decorontwerper bij de tv.

'En dat rommelen bevalt?'

Nee, dat deed het niet. Vooral niet als Ilse met haar lover beneden kwam, en de twee kinderen klaarstonden om naar school te gaan, met hun broodtrommels.

'Kan ik jóu niet...?' Ilse schudde met haar schouders, en niet alleen met haar schouders. Maar ik kon niet lang kijken, want het was druk op de weg. En ik diende ongelukken te vermijden.

'Aan jou heb ik niet veel, hè?' zei Ilse. 'Jij bent tot over je oren getrouwd, toch? Shit. Nee, aan jou heb ik niet veel.'

We naderden Oud Ade.

'Ach,' zei Ilse, 'misschien levert het feestje vanavond wat op, wie weet. En volgende week heb ik een date met een cameraman.'

Kort na onze aankomst trouwde het jonge stel. Volgde receptie, diner en feest.

Maar het feestje leverde Ilse niet veel op. Ja, een flirt met de dj. Maar die viel op jongens, maakte hij Ilse al snel duidelijk. Zo was er altijd wat.

Nee, met die cameraman was het ook niks geworden, bracht Ilse me later telefonisch op de hoogte.

Ze klonk moe.

Ik keek naar buiten. Het miezerde zacht maar gestaag. Oktoberregen. Volgens het KNMI in De Bilt was de kans op opklaringen in de loop van de dag nihil; en die jongens kunnen het weten.

De bomen lieten een eerste vrachtje bladeren los. Er zat nog heel wat afgevallen blad aan te komen.

'Het begint herfst te worden,' zei Ilse. En uit haar stem leidde ik af dat ze met die 'herfst' niet alleen op de weersgesteldheid buiten doelde.

JE ZAL ER MAAR MEE ZITTEN

De dag begon weinig hoopvol.

Het regende in Den Haag, en in de Verenigde Staten dreigde opnieuw een bank om te vallen. (De radio repte van crisisoverleg tussen de betrokken partijen, en noodkredieten.) Het oktoberde, kortom.

Tot de zon in de loop van de ochtend alsnog besloot in te grijpen, en ons de helpende hand toestak. Niet dat dat ingrijpen die bank zou redden. Maar mooi dat het in Den Haag op de valreep terrasjesweer werd.

Zodoende zat ik tegen enen op het terras van De Beurs van Berlage, achter het Gemeentemuseum. Het was lunchpauze, maar de banken in de tuin van het Gemeentemuseum bleven onbezet.

'Joan,' zei een vrouw die Georgette heette tegen haar vriendin, 'wij hadden een feestje, zaterdag, daar hebben Jacques en ik zo veel oesters en kaviaar gegeten, en champagne gedronken, dat...'

Ik zat het sportkatern van de krant te lezen, maar staakte nu die bezigheid.

'Jacques en ik,' zei Georgette terwijl ze Joan op de arm tikte, 'we waren er gewoon beroerd van, gisteren. Wil je dat geloven?'

Hmm, overwoog ik, ik wou dat ík dergelijke kopzorgen had.

'En de avond ervoor,' vervolgde Georgette, 'was het

ook al bal geweest, bij een feest in Wassenaar, waar we met motoren, BMW's en Harleys, de gazons van de gastheer mochten omspitten, 's nachts. Een ravage. Er zat geen plag meer op zijn plek toen wij klaar waren, geen graspolletje meer.'

De serveerster zette de lunchbestelling voor hen neer, en het gesprek stokte.

'En,' informeerde Joan, toen het grootste deel van het bestelde was weggewerkt, 'hoe bevalt jullie tweede huis in België?'

'Dat?' zei Georgette. 'O, dat staat te koop.'

'Nu al? En jullie hebben 't pas sinds mei?!'

'Als je geïnteresseerd bent? Het staat nog steeds te koop, bij mijn weten.'

Joan kon het maar nauwelijks geloven, dat het Belgische avontuur nu alweer verleden tijd was.

'Joan, ik zal je vertellen... Ik stond in juli in die villa, Jacques was buiten een sigaartje roken, ik roep 'm... Geen antwoord. Stond ik, alleen, midden in die bossen, de dichtstbijzijnde buren een paar kilometer verderop, in mijn piere eentje. Ik denk: wat als Jacques een hartaanval krijgt, of we worden overvallen? Wat dán? Dan kan ik geen kánt op.

Ik zei tegen Jacques, toen-ie eenmaal boven water was, ik zeg: "Ik weet niet hoe jij erover denkt, maar ik wil terug naar Den Haag, en wel zo vlug mogelijk. Ik hoef hier niet te blijven. Ik hoef dit niet."

Ach, Joan,' besloot Georgette haar klaagzang manmoedig, 'ach, zo heeft iedereen zijn problemen.'

Later die middag begon het opnieuw te regenen. De druppels kletterden hard op het terras en op de terrastafels. De kans dat de banken in de tuin van het Gemeentemuseum alsnog bezet zouden worden, moest als uiterst klein worden ingeschat.

En nog later vormden zich grote plassen op het terras.

Maar toen waren Georgette en Joan allang weg.

SEIZOENSOPRUIMING

Het regende; en niet zo'n beetje ook. En dat zou het nog wel even blijven doen, stevig regenen, want de Scheveningse lucht was even grijs als een groot deel van de Scheveningse nieuwbouw.

Het was het einde van het seizoen: de strandpaviljoens en de beachclubs werden afgebroken, en de materialen afgevoerd. Herfst stak op.

Op het Zwarte Pad reed een tractor weg met de overblijfselen van een strandtent op de oplegger. Ik zag een wit tafeltje staan, gezekerd, en een prikbord dat nog aan een wandje hing.

Verderop, aan het eind van het Zwarte Pad, laadden twee mannen bierpompen en biervaten in een Heineken-vrachtwagen. 'Nee,' zei de een, 'het is weinig werk. We hoeven niet veel weg te halen. Ze draaiden een goed laatste weekend hier. Dus bijna alles is op.'

In de buurt van een rij vuilcontainers stond een aanhangwagen waarop een ingepakte catamaran was bevestigd, de Maricat, klaar om de winteropslag in te gaan. Ook voor de catamarans was het zomerseizoen voorbij.

Op het strand stond allerhande meubilair kriskras door elkaar. Banken, op elkaar gestapelde terrasstoelen, lounge-chairs, een verzameling parasollen, een biertap van Amstel, en een kinderglijbaan. Losse planken leunden tegen een container om te drogen, al kwam van dat drogen nu niet veel terecht. De zon viel in geen velden of wegen te bekennen; die had geen trek in Scheveningen, vandaag.

Er klonken hamerslagen, aan de achterkant van de Whoosah. Het afbreken was in volle gang.

'Als je het zo ziet,' zei Annejet van strandpaviljoen Culpepper, 'besef je de eindigheid van de dingen opeens zo sterk.'

Ik wees naar de zes palmbomen op het terras, of wat tot eergisteren terras was geweest.

'Die,' zei Annejet, 'zetten we vanavond boven, op het Zwarte Pad. Nee, die worden niet gestolen. Die zitten in potten, dat is loodzwaar spul. Niet te tillen. Morgen worden ze afgehaald, dan gaan ze naar een tropische kas in het Westland, om uitgebreid te worden vertroeteld. Volgend jaar komen ze terug hier, half maart, als we de boel weer opbouwen, of eind maart. Met Pasen wil ik weer open zijn.'

Een van de personeelsleden kwam iets vragen. 'Moet dit bewaard blijven of kan het weg?'

'Dat? O, dat kan wel weg,' oordeelde Annejet. 'Ja, gooi dat maar weg. Wat móet je met al die rotzooi, als je alles blijft bewaren...? Weg ermee.'

Ik vroeg haar of ze een goed seizoen achter de rug hadden, de paviljoens.

'Hmm,' antwoordde Annejet, 'wij hebben niet slecht gedraaid, al met al. Nee. Nee hoor, helemaal niet zo slecht. Kijk, het kan altijd beter, maar... Tot augustus was het goed. Prima, zelfs. Volop zon, je kon over de hoofden lopen. Augustus zelf was een ramp. Zegge en schrijve vier dagen zon, op een hele maand, dé vakantiemaand, en daarmee was de koek op. Nou, dan weet je het wel. In september krabbelde het weer wat overeind; maar ja, toen begonnen de scholen alweer, en ging iedereen naar zijn werk, dus... Nee, van september moet je het niet hebben. Het voorjaar, dat heeft ons gered.'

Ik staarde een poosje naar het strand. En telde meer kraaien dan meeuwen. Alsof zij, aaseters van nature, nauw bij de opruimingswerkzaamheden waren betrokken.

'Eigenlijk,' vertelde Annejet, 'was het afgelopen zondag al over. We hadden een feestje gehad, daverende party, iedereen was net weg, begaf alles het opeens, álles. Het gasfornuis, de elektriciteit, de lampen vielen uit, de rioolpomp... Het enige wat het bleef doen was de buitenverlichting, gek genoeg, de buitenlampen. Alsof het huis besloten had: "Zo, en nu is 't mooi geweest. Zo is 't genoeg."'

Twee tractoren van de gemeente trokken langzaam een brede schuif over het zand, om het strand te egaliseren.

'Wil je een appelflap?' vroeg Annejet. 'Klinkt gek, maar dat is alles wat we nog hebben, appelflappen. En wat frisdrank, een half kratje.'

Korte tijd later stapte Annejet in een Jeep waar de naam van haar paviljoen op stond. Ze draaide het raam open. 'Tot volgend jaar,' riep ze, en ze gaf gas en reed het strand op, langs de Whoosah en het al vrijwel onttakelde Buiten, in de richting van de strandopgang. Ze stak een arm uit het raam en zwaaide. 'Tot volgend jaar!'

De Jeep vocht zich door het rulle zand een weg omhoog, en was verdwenen.

CENTRAAL STATION

'Camera loopt,' riep Ben, regisseur van *Koefnoen,* 'improviseer maar wat!'

We stonden voor Den Haag Centraal Station, of wat daarvan over was, en maakten een filmpje over het nieuwe Centraal, voor de NS.

'Achter me,' begon ik, 'zie je het oude stationsgebouw, die grauwe betonklomp, bar en boos. Het gerucht wil dat partijleider Erich Honecker 's zomers vaak op het Malieveld kampeerde om vanuit zijn tentje onbekommerd te genieten van het zicht op die kantoorpuist, een bunkerachtig bouwsel dat menige architect in de voormalige DDR inspireerde tot wanstaltige... Goed, mensen. Conclusie? Het enige wat de moeite van het slopen meer dan waard is, die betonkolos, dat blijft staan.'

'Cut!' riep Ben. 'Dat hebben we.'

We liepen het station in. In de hal heerste de gebruikelijke maandagochtenddrukte. Business as usual. En we liepen door naar het bouwterrein – langs een container waar SPECIALISTISCH GRONDVERZET op stond – waar we werden verwelkomd door Rick Smits, hoofdopzichter van Ballast Nedam.

'Kijk,' zei Rick toen we na een urenlange rondleiding door een labyrint van steigers en stellingen eenmaal op het dak van Babylon stonden, 'die bouwput, recht beneden ons, daar komt die toren van honderdveertig meter.' Dat was niet niks. In gedachte zag ik het al voor me, de toren, hoe-ie steil de lucht in rees, om voorzichtig aan het hemeldak te krabbelen. Van de andere kant: in Dubai koesterde men plannen om een wolkenkrabber te bouwen die duizend meter de lucht in klom. Zo bleef je aan de gang.

Ik nam het doolhof van stalen buizen, pijpen, leidingen en steigers nog eens goed in me op. Je vroeg je af hoe ze een en ander passend in elkaar hadden gesleuteld; en hoe ze de boel weer uit elkaar konden krijgen zonder een buis, pijp of een stuk leiding over te houden, of een stel bouten.

'Ik wil geen spelbreker wezen, Rick,' zei ik, 'maar ga er maar van uit dat de bouw van die toren enige vertraging oploopt.' Ik wees naar beneden. 'Zie je die gozer daar, met die drilboor, en zijn gele bouwhelm op? Die is in zijn eentje, Rick, die bouwvakker, in zijn piere eentje. Ik mag toch hopen dat je wat hulptroepen achter de hand hebt om...'

Ik keek op, en toen over het bouwterrein heen, voorbij de achterzijde van het station; en zag het Strijkijzer, bij Hollands Spoor. Het kón dus wel, de hoogte in, in Den Haag.

Rick laste een koffiebreak in, in wat er van winkelcentrum Babylon overeind stond.

'Klopt het,' vroeg Ben me terwijl hij in zijn koffie roerde, 'dat je weinig op tv bent, de laatste tijd? Ik bedoel, ik zie je bijna nooit meer op de buis. Word je niet meer gevraagd, is dat het?'

Ja, de regisseur en ik, wij konden het uitstekend met elkaar vinden. Als we niet oppasten, eindigden we nog als vrienden-voor-het-leven.

De rest van de middag leidde Rick Smits ons rond door de ondergrondse parkeergarages en de te bouwen winkelpromenade – waar regen en wind vrij spel hadden, en van die geboden mogelijkheid ook dankbaar gebruikmaakten. En Rick leidde ons langs verschillende bouwputten waar hijskranen diep overheen bogen, kranen van de firma's Wagenborgen en De Jong. En ging ons tot slot opnieuw voor naar het dak van Babylon, waar ik het filmpje diende af te sluiten.

De camera liep.

'Jongens!' riep ik naar de bouwvakkers in de diepte. 'Jongens, luister effe! Jullie mogen doorgaan! Ja. Ik ben overtuigd. En heb besloten, dat de bouw níet hoeft te worden stilgelegd! Doorgaan!'

'Cut!' riep de regisseur.

'Was ik niet te cynisch,' vroeg ik Ben, 'voor het promotiefilmpje?' We stonden bij onze auto's in de gehavende parkeergarage onder Babylon, klaar om ervandoor te gaan.

'Nee, hoor,' stelde de regisseur me gerust. 'Had je het script niet gekregen? Nee? Of hebben ze jou dat niet toegestuurd, uit voorzorg? Daar stond je rol in. De nar.'

Hij wapperde met het script. 'Chabot. Nar.'

DE OVERSTROMING

‘Volle bak, vanavond,’ zei Rachel toen ze de voordeur opendeed. ‘Dat komt,’ vervolgde ze, ‘het is de laatste keer, hè, de klassenborrel van groep 8. En Storm is jullie jongste, toch? Nog even en de basisschool is voor jou een afgesloten hoofdstuk.’

Boven dromden vele ouders samen.

Ik keek uit een hoog raam dat uitzag op het Nassauplein. Merkwaardig, dacht ik, een lange straat die ‘plein’ heet. Zou het omgekeerde ook bestaan, een fors plein dat ‘straat’ heette?

Er gingen hapjes rond, maar ik bleef uit het raam kijken.

Over de straat hing een zweem van Couperus. Alsof die elk ogenblik de hoek om kon komen, flanerend.

Om de hoek wist ik een *safe house*, waar Ayaan Hirsi Ali nog een poos gezeten had. Tot de buren zich beklaagden over de overlast, over de lijfwachten, het aan- en wegrijden van zware auto’s, ook ’s nachts; en de daarmee gepaard gaande daling van de waarde van hun appartementen. Hirsi Ali moest weg; hoewel zij van de buurt waarschijnlijk niet helemaal naar Amerika had gehoeven.

‘O,’ zei Rachel, ‘het was verschrikkelijk.’

We stonden in de keuken. Ik vroeg me af wat er zo verschrikkelijk was.

'Rob was de deur uit,' vervolgde Rachel, 'Tim stond te douchen en ineens... Lekkage. En niet zo'n kleintje ook. Een hoofdader, achter een muur. Twee weken terug. Het stroomde als een waterval langs de keukenmuren, en spoelde dwars door de tv. We hadden een grote glazen bol aan het plafond, de lamp, nou, dat was nu een aquarium, dat overliep, in dikke stralen. We liepen te soppen in het tapijt op de gang. Het water spoot zelfs de straat op, en golfde het huis uit over het Nassauplein. Floris, de jongste, liep in paniek de kamers door. "Het huis stort in! Ons huis stort in!"

Het plafond moet eerst helemaal uitdrogen voor er ook maar iets aan gedaan kan worden. Nee, hier zijn we nog lang niet klaar mee, dit gaat weken en weken duren, maanden zelfs.

Zie je die zwarte uitsteeksels aan het plafond? Dat zijn paddestoelen, ja, écht. Maar daar staat tegenover, de tv doet het nog. Een Philips.'

'Ik moet je bekennen, Rachel,' zei ik terwijl ik naar boven wees, 'die paddestoelen, het heeft wel wat, eigenlijk.'

'Ach,' zei Bea, 'en het kan altijd erger, moet je maar denken. Ken je Karin, die hierachter woont, een paar straten verderop? Karin wordt 's nachts wakker, twee jaar terug, Willem was een paar dagen weg, die zat in Brussel, ruikt ze iets branderigs, een brandlucht. Ze rent de trap op naar boven, naar de slaapkamers van de drie kinderen... Karin sleurt ze hun bed uit, ze daveren de trappen af, komen beneden, kortsluiting, alle lampen vallen uit, in blinde paniek komen ze bij de voordeur… Hadden ze een elektronisch slot, dat het dus mooi niet meer deed.'

Een paar uur later, na een korte nachtrust, stond ik op, hielp mijn jongens op weg naar school, en reed toen naar Scheveningen.

De Pier stond nog fier overeind: die kon, ondanks zijn smalle gestalte, meer hebben dan menig wankelend bankgebouw.

Ik keek naar de wolken; die waren aan het onthaasten, want ze kwamen nauwelijks van hun plek.

Na een tijdje begon ik het koud te krijgen, en rilde.

En de zee rilde een beetje met me mee.

EEN MODERNE JONGE VROUW IN DE AMALIASTRAAT

Het was een herfstige dag in Den Haag, maar het regende niet.

Voor me, op de Kneuterdijk, omstreeks het middaguur, liep een vrouw die ik een jaar of dertig, vijfendertig schatte. Zij ging in het zwart gekleed, maar had een brede gele shawl om haar hals en één schouder geslagen, zoals stewardessen dat wel doen. Ze droeg zwarte laarzen, en in haar rechterhand hield ze een opvouwbare paraplu; een kek zwart dingetje, waar ze tijdens het lopen achteloos mee zwaaide.

Maar er was een andere reden waarom zij opviel.

Zij had een indrukwekkend loopje. Geen twijfels. Kordate passen. En uptempo. Ze droeg het haar naar achter, in een parmantig staartje; een staartje dat moeite had om de eigenaresse ervan bij te houden. Hier ging een vrouw die de wereld aan een touwtje had. Sterker, die de wereld in haar hand hield, en er naar believen mee kon spelen, net als met haar paraplu.

Ik besloot haar een stukje te volgen.

Via de Heulstraat en het Noordeinde belandden we in de Amaliastraat. Ze liep naar haar auto, die recht voor de ambassade van Kameroen geparkeerd stond.

Uit de ambassadedeur stoof een Afrikaan. 'That's not very nice of you, young lady, to park here.'

'Oh?' zei ze. 'And why is that?'

'These two spaces are reserved for the Embassy.' Hij wees naar het bord, dat dit aangaf.

'Oh,' zei ze, 'well, I must have missed that one.'

'Come on, young lady, you can do better than that. You know very well that you shouldn't have parked here.'

'Twee plaatsen?' reageerde ze. 'Nee, één. Daar, verderop in de straat, voor díe ambassade staat een bord dat twee gereserveerde parkeerplaatsen aangeeft. Maar hier staat niks, op die ene plek na dan.'

'Now, listen to me, young lady...'

Maar dat deed de *young lady* niet. 'Er is op dit bordje van jullie geen spráke van *two spaces*.' Ze hield de wereld nog steeds goed opgeborgen in een van de zakken van haar zwarte jas.

'We've got two spaces. You know that very well. It's not very nice of you to park your car here, not nice at all.'

Ze opende het autoportier; wat haar betreft zat het onderhoud er op.

'You're just in time,' vervolgde de man onverstoorbaar. 'I was about to make a call, to get a company to have your car towed away.' Hij liet het papiertje zien met het telefoonnummer van de wegsleepfirma erop.

'Well, lucky me,' zei ze, en stapte in.

Maar ze sloeg het portier niet dicht. 'I like your team, though,' zei ze. 'Your national football team, that is.'

'You're into football?' reageerde de ambassademedewerker verbaasd.

‘Oh no, not at all,’ antwoordde ze. ‘I like the guys.’

‘Why don’t you come in,’ vroeg hij, en hij wees naar het ambassadegebouw achter hem, ‘and have a cup of coffee?’

‘I’ll just do that,’ zei ze, ‘some other time.’

Toen sloeg ze het portier dicht; en even later reed de auto weg, de straat uit, en sloeg rechts af de Mauritskade op, zelfverzekerd.

'S AVONDS LAAT, OP HET LANGE VOORHOUT

Op een doordeweekse avond zat ik in café De Posthoorn. Er waren niet veel gasten meer.

Vanuit zijn fotolijst aan de muur keek Simon Carmiggelt het café in alsof-ie met een nieuwe Kronkel bezig was. Ik kreeg de indruk dat hij iets van me verwachtte. 'Kom op, joh. Vertel eens wat, iets bruikbaars.' Zijn deadline zat hem op de hielen. Ik was best bereid om Carmiggelt ter wille te zijn, maar ik wist niet goed hoe.

Het was al na twaalven toen ik de ober wenkte om af te rekenen.

'Zo,' zei hij, 'je houdt 't voor gezien?'

'Voor vanavond wel,' antwoordde ik.

Ik trok mijn jas aan, groette, en liep naar buiten, het Voorhout op.

Ik keek het Korte Voorhout in. Voelde die zich nooit eens tekortgedaan, vroeg ik me af, dat het altijd maar over zijn grote broer ging, en maar zelden over hem?

De bomen langs het Voorhout stonden er nog, en toch leek er iets veranderd.

Het kostte me enige tijd voor ik de vinger kon leggen op wát er veranderd was. De maan hing laag en levensgroot ter hoogte van de Kneuterdijk en de Heulstraat; laag en levensgroot, en zonder van zijn plaats te komen, alsof-ie op een bus of tram wachtte die maar niet kwam.

De bomen stonden steviger in hun schoenen dan ik, stukken steviger zelfs: dát was het.

Het Voorhout kon, zoals het er nu bij lag, nog eeuwen mee.

Ik daarentegen in de verste verte niet.

Toen ik in De Posthoorn afrekende, was ik nog overwegend iemand van vlees en bloed geweest, en stond ik tot aan mijn enkels in het hier en nu. Maar zo lagen de zaken inmiddels niet meer.

Ik keek omhoog, naar een hoog punt in de gevelrij. Vergiste ik me of bewoog daar iets, achter een raam?

Het Lange Voorhout werd momenteel van gemeentewege heringericht: een herinrichting die al maanden in volle gang was.

Grote hekken schermden het standbeeld van Louis Couperus van de openbare weg af. Vlak voor het beeld hadden werklieden een diep gat gegraven. Er moesten nieuwe kabels worden gelegd, of een nieuw stuk riolering, dat viel moeilijk uit te maken. Een gapend groot gat in elk geval, waar Couperus zó in kon tuimelen als-ie even niet oplette.

Zo stond ik daar een poosje, zonder dat er veel opzienbarends gebeurde. Ik moest aan Sylvia Tóth denken, de ongekroonde koningin van het Lange Voorhout. Er zat net iets te veel 'dood' in haar achternaam om me comfortabel bij te voelen. Hoe, vroeg ik me af, was het haar ex-geliefde, Cor Boonstra, eigenlijk vergaan?

Er passeerde iemand die me groette, en toen nog twee mensen die niet groetten. Af en toe stoof een taxi voorbij; die hadden stuk voor stuk grote haast. De maan werd het lange wachten beu – gaf 'm eens ongelijk – en verschoof van plek. Nee, die ging niet lijdzaam toezien of er misschien toch nog een tram of bus verscheen, op de valreep.

Toen kwam Louis Couperus de hoek om, uit de Schoorsteenvegerstraat. Hij moest zo te zien nergens dringend heen en hoefde geen afspraak na te komen, want hij maakte geen haast.

Het Voorhout keek er niet van op, van zijn verschijnen; dat was zijn nachtelijke omzwervingen wel gewend: een routinezaak. Nee, het Voorhout had er pas van opgekeken als Couperus níet op de proppen zou zijn gekomen, zo vertrouwd was de laan met zijn aanwezigheid.

Couperus keek een paar tellen naar zijn stenen evenbeeld en naar het diepe gat ervoor, en stak toen over, om te verdwijnen om de hoek van de Kloosterkerk, de Parkstraat in. Ja, Louis was niet voor één gat te vangen, ook niet voor een diepe kuil in de grond. Die had voor hetere vuren gestaan, en overleefde álles. Dat kon ik van mezelf allerminst zeggen. Ik struikelde nog steeds over van alles en nog wat en had nog een lange weg te gaan, een hele lange weg.

Na verloop van tijd kwam er mist opzetten, nevels die bezit van het Voorhout namen, een eeuwenoude mist, die me omringde en opnam; en al vrij snel werd ikzelf een Haagse schim. Ik was een illusie.

De kilte van de mist drong nu door mijn jas heen: een kilte die bij mijn botten kon, en korte tijd later verliet ik het Voorhout en liep naar huis, ervan uitgaande dat dat nog wél overeind zou staan.

OVER HET BESTAAN VAN SINTERKLAAS

Het was drie december, een woensdag. De herfst liep ten einde: de bomen hadden niets meer te verliezen.

Het was winterkil. Ik blies witte tekstballonnen voor me uit. Nu de tekst nog, liefst in hapklare brokken.

We bevonden ons even ten noorden van Wassenaarse Slag. 'We', dat wil zeggen: mijn zoontjes Splinter en Storm, en ik. We hadden de hele middag lopen dollen. Zoetjesaan werd het tijd om op huis aan te gaan. En ik riep de twee, die verderop aan het voetballen waren. Zelfs zij begonnen nu moe te worden.

Terwijl we terugliepen zagen we een Jeep naderen. Een cameraman leunde overboord, en filmde Sinterklaas op zijn schimmel, met een handvol Zwarte Pieten in zijn kielzog. Daarachter hingen laag de decemberwolken. De Jeep zwenkte de strandopgang op, op de voet gevolgd door Sint en zijn Pieten. Ging het om een opname voor het *Sinterklaasjournaal*?

'Pap,' vroeg Splinter toen het eerste jongensenthousiasme was bedaard, 'pap, Sinterklaas bestaat, hè?'

'Ja,' zei ik, 'hoezo?'

'Nou,' aarzelde Splinter, 'op school zeggen ze...'

'Wat zeggen ze op school, jong?'

'Pap, op school zeggen ze, de grote jongens, dat Sinterklaas helemaal niet bestaat! Dat het gewoon een verklede man is, de meester van groep vier!'

'Jongens,' zei ik, 'neem van mij aan: Sinterklaas bestaat. Wat dacht je dan?! Jullie merkten het net nog, Sinterklaas zie je elk jaar opnieuw. Dat kun je van God met goed fatsoen niet zeggen, of van Allah. Die luitjes zie je nooit.'

'Dus pap,' informeerde Splinter voor alle zekerheid, 'jij gelooft ook in Sinterklaas?'

'Splint,' zei ik, 'de goedheiligman komt elk jaar weer boven water, dus die is echt.'

En we holden vooruit, zo hard we konden, naar de strandopgang, in de hoop nog een glimp van de sint op te vangen.

AAN DE MONSEIGNEUR NOLENSLAAN

'Duno!!' riepen twee bejaarde supporters vanuit hun rolstoel naar de voetballers in het veld. 'Duno!!!'

Het waren Jaap, oud-doelman van ADO, en violist Frans. Al snel raakten we in gesprek, want zo veel aanspraak hadden zij niet. 'Wij wonen aan de overkant,' zei Frans, en hij wees naar het verzorgingshuis aan de Nolenslaan, 'bij de Preva Stichting, daar delen wij een kamer.'

'Ik heb een nieuwe vriendin,' zei Jaap. 'Echt een schat. Ze neemt twee keer per week een eitje voor ons mee.'

'Ja,' zei Frans, 'maar dat ei helpt ook niet, hoor.'

'Jongen,' zei Jaap, 'ik ben niks. Maar Frans, die was beroemd! Die heeft nog voor prinses Margriet en Pieter van Vollenhoven gespeeld, op hun trouwen.'

'Ja,' zei Frans, 'speelde ik op veertig meter afstand, terwijl zij zaten te eten, die Margriet en Pieter. Ik ken hen zó uittekenen. Maar zij kennen mij niet meer, hoor.'

'Jongen,' zei Jaap, 'ze zijn hier zó voor ons, bij Duno. In de kantine, na de wedstrijd, is het altijd een biertje voor en een biertje na. We krijgen het van alle kanten aangebooien.' Jaap stak zijn duim omhoog. 'Ja, echt, zó zijn ze hier. Daar moet je nog mee oppassen trouwens, want... Een tijdje terug, Frans en ik komen uit de kantine, we rollen het bruggetje over, de stoep op, komt er, zal-je-net-zien, politie langs. "Heb u gedronken?" "Nou Frans," zeg ik, "niet dat we weten, hè?" Moesten we blazen. De ademtest. Controle. Wat denkie? Moest ik mijn rolstoel uit! Ja, ik had te hoog geblazen, aangeschoten, en ik nam met mijn rolstoel deel aan het verkeer, op de openbare weg, dus... Sta ik te wankelen, naast mijn stoel, zegt die ene agent: "Nou, gaat maar weer zitten, want dit is ook niks." Hebben ze ons naar de Preva geduwd. Ja, je mot nog oppassen ook, met die dingen.'

'Jongen,' zei Jaap, 'als ik begraven word, hè... dan moeten ze op mijn kist de etiketten plakken van Heineken en Hertog Jan. Dat schenken ze bij Duno. Zie je 't voor je? Heineken en Hertog Jan, op mijn kist. Volgeplakt.

Dat is mijn laatste wens. Vooral Heineken.'

OPGERUIMD STAAT NETJES

De lucht boven de Soestdijksekade was grijs, en kon nog alle kanten op.

De zon zou zomaar kunnen doorbreken, in de loop van de ochtend; of niet. Voor hetzelfde geld bleef het de hele dag zo grijs als het nu was. Nog geen man overboord.

Al gold dat niet voor iedereen op de Soestdijksekade.

'Ik zit zaterdag de krant te lezen,' vertelde Thea aan Gerrie, terwijl zij op een bankje langs de kaderand zaten, 'belt het ziekenhuis, of ik wilde komen, ogenblikkelijk. "Het gaat opeens slecht met uw vader, erg slecht." Ik kom in Leyenburg, en een halfuurtje later kneep-ie ertussenuit. Ach, drieënnegentig, wat wil je? Kijk, er kómt een dag dat je zegt: en nou is 't wel eens een keer mooi geweest zo, ja toch?'

'Wanneer,' vroeg Gerrie, 'is de begrafenis?'

'Donderdag. Op de Binckhorst. Dat wil zeggen: pa wordt gecremeerd, en zijn as wordt bij de urn van mijn moeder gedaan. Ja, dat heb je tegenwoordig, een dubbelurn. Ze doen de as in een zakkie, dat weegt zo'n drie kilo, drie kilo per persoon, meer is 't niet, dat gaat de urn in, en die wordt dan bijgezet, daar. Ja, je kan 'm ook mee naar huis krijgen, dat ding, maar wat moet je ermee? Op de tv zetten? En dan op zondagavond, om zeven uur... "Pa, wakker worden, joh! Voetbal. *Studio Sport* begint!"'

Thea lachte.

'En dat-ie dan in die asvaas tegen mijn moeder zegt: "Nee ma, slaap jij maar lekker door, het is voetbal voor mij. Hou jíj je oogies maar lekker dicht."'

Thea boog iets dichter naar Gerrie.

'Meid, wat gebeurt me maandagavond? Ik zit een beetje zo te friemelen aan mijn medaillon, en te rommelen, denkend aan pa, toch een tikkie zenuwachtig. Je weet wel, dat medaillon waar ik wat as van ma in bewaar. Vliegt dat dingetje opeens open, en alle as... Op mijn trui. Wat moest ik? Ik heb 't eraf geklopt, en op de grond...

Dus ik stofzuig even niet, voorlopig. Nee. Maar straks, met de kerst, als de kinderen komen, en mijn kleinkinderen, Loeki en Melissa, gezellig, ja, dan zal ik wel móeten stofzuigen.

Het is niet anders. Dan helpt er geen moedertje lief meer aan, en zal ma er toch echt aan moeten geloven.'

EEN LICHTE BESCHADIGING

Het was stil weer. En grijs bovendien.

O, er was van alles aan de hand in Den Haag, op de grond. Maar het weer hield zich gedeisd. Je hoorde geen zuchtje wind in de bomen. En je hoorde geen vogels, en ook geen hond die blafte, dichtbij of in de verte.

De stadsgeluiden klonken gedempt, alsof het mistte; maar dat deed het niet, misten.

Ook de meeuwen boven de Soestdijksekade deden er het zwijgen toe. En zelfs de woonboten langs de kade hielden hun adem in en verroerden zich niet, precies zoals het in een kinderversje wordt aanbevolen.

Ik liep door de Daguerrestraat. Bij de kruising met de Beeklaan liet Lies haar hond uit. Ze had een zwarte stretchbroek aan, die in haar zwarte laarzen verdween.

'Hé!' riep Lies. 'Hoe is 't? Hebbie wat te doen, een beetje?'

Na een poosje verscheen Theo in de deuropening, aan de overkant van de straat, en kwam toen gehaast op Lies af. 'Kom je? Ze zijn er.' Theo liep in een spijkerbroek die nogal ruim zat, en droeg een jasje dat niet bij zijn jeans paste.

'Goed,' zei Lies, met een zucht. 'Hier, neem jij de hond van me over zolang, dan ga ik vast, zie ik je zo.'

En Lies liep terug naar huis en verdween naar binnen, nagestaard door de hond.

'Ja,' zei Theo verontschuldigend, 'we hebben een nieuwe keuken gekregen, sinds kort, weet je, en nou is 't keukenblad beschadigd. Niet heel erg, er is geen stuk afgebroken, maar evenzogoed... En een beschadiging die ze in de fabriek moet zijn opgevallen, bij die Keukenboer, want er is geprobeerd 't weg te moffelen, door die gasten. Dat kun je zien. Kijk, en als ik een keukenblad mét beschadiging wil, dan maak ik dat zelf wel, een kras of een barst, daar heb ik geen Keukengigant voor nodig, toch?

Nou,' besloot Theo, 'die Keukenjongens zijn er nu, dan ga ik maar. Ik kan 't Lies niet in haar eentje laten opknappen... Ik ga je zien, hè?' En daar ging Theo, met lange tanden op huis aan.

Ja, Lies stond haar mannetje. Of dat ook voor Theo gold, stond nog te bezien.

Toen vloog de hond de straat over, richting de nog openstaande voordeur.

Wat de hond betreft waren de kaarten geschud; en was het glashelder wie het baasje was, en wie niet.

OCHTENDKRANT

Dat niet alles naar wens verloopt in Krantenland, was al een poosje duidelijk.

Gisteren werd ik daar nog eens aan herinnerd.

Ik wachtte voor het stoplicht op de Raamweg, om links af te slaan. De zon scheen; er was betrekkelijk weinig loos.

Een krant waaide het drukke kruispunt op en bleef toen liggen als een aangereden diertje. Een *Telegraaf*: dikke letters riepen van alles en nog wat naar de lezer. Het exemplaar was nog grotendeels intact, zij het bibberend, maar de vooruitzichten waren ronduit somber, en al snel maakte de ochtendspits er korte metten mee.

Een beige Hyundai stoof de hoek om.

Die kon de krant niet ontwijken, deed daar ook geen poging toe, en de Hyundai reed vol over de krant heen, en trok hem uit elkaar. De daarna volgende vrachtwagen, eentje van Harry Vos, scheurde de krant aan flarden. Stukken papier vlogen omhoog, de lucht in, dwarrelden richting de grijpgrage armen van de bomen; of vielen terug naar de grond, of belandden in het zwarte water van de Koninginnegracht.

Een stuk krant kwam half op straat terecht en half op het fietspad, en rilde als vogeldons.

Er scharrelden wat kraaien op het fietspad, maar zij keurden het papier geen blik waardig. Die vogels kenden hun pappenheimers, en wisten dat er voor hen in zo'n krant niks te halen viel.

Het deed me wat.

Ik ben een krantenman. Tijdens de grote vakantie laat ik het vaderland opgewekt achter me; om eenmaal in Frankrijk of Italië aangekomen, of in Noorwegen, na een dag of drie op zoek te gaan naar een Nederlandse krant, desnoods een oud exemplaar.

Een groep wegwerkers was druk bezig met herstelwerkzaamheden. Eén collega bezemde het fietspad schoon, want het karwei was op een haar na geklaard.

Maar het stukje *Telegraaf* was de bezem te vlug af, en waaide terug de weg op; waar het prompt werd vermorzeld door een andere vrachtwagen, eentje die, blijkens het opschrift op de flank, in garnalen deed.

Ik moest aan de stukjes denken die ik voor de krant schreef, en hoe weinig daarvan overblijft.

Dat stemde me even treurig, maar ik hervond mijn blijmoedigheid. Er viel een lastje van mijn schouders. Nee, het maakte allemaal niet zoveel uit wat ik deed. Ik kon een stukje schrijven, ik kon het ook laten. Het deed er per saldo niet zo heel veel toe.

Onder mij, onder mijn voeten, draaide de planeet gewoon door, en in hoog tempo; een tempo dat ik, wat-ik-ook-deed, nooit zou kunnen bijbenen.

SPOOKY STUFF

Woensdagmiddag.

Ik leunde over het hek, met mijn rug naar het Kabinet der Koningin, en keek naar de Hofvijver, en naar het Mauritshuis en het Binnenhof, en toen naar het eilandje in de Hofvijver, en toen weer naar de Hofvijver zelf.

Het was fraai eindnovemberweer, en ik had mijn sinterklaasinkopen gedaan. Er viel niet bijster veel te klagen.

'Waar kijk je naar?' vroeg een opgewekte vrouwenstem naast me.

Ze stak haar hand uit.

'Hallo,' zei ze, 'ik ben Wilma, locatiemanager van de Gevangenpoort, aan de overkant.' Haar ogen glinsterden als het water van de Hofvijver. Was dit een grimmige herfstdag geweest, dan had die grimmigheid, oog in oog met Wilma, niet lang standgehouden.

'De Gevangenpoort?' zei ik. 'Daar gebeuren vreemde dingen, hoorde ik.'

'Zoals wat?' vroeg Wilma.

'Hmm,' zei ik, 'voetstappen op de trap, terwijl er niemand in het gebouw aanwezig is. *Spooky stuff.*'

'O,' zei Wilma glimlachend, 'is dat alles? Nou, dat is nog niks, neem dat van mij aan. Ik heb wel vreemdere dingen gezien.'

Opnieuw keek ik naar de Hofvijver. Maar er trok geen rimpeling over het water.

'Véél vreemdere dingen,' vervolgde Wilma. 'Ik ben broodje nuchter, echt, maar... Zo liep ik vorige week door het gebouw, en...'

Wilma's ogen reikten dieper dan de diepte van het water in de Hofvijver.

'Voor zolang het duurt,' vervolgde zij, 'want we gaan dicht, in december, voor een ingrijpende renovatie. Het gebouw wordt "ontstoord", zoals de architect het uitdrukt. Maar wat staan we hier te... Wil je 't zien?'

We liepen via de Lange Vijverberg naar de Plaats, en de Gevangenpoort.

Ik kreeg zin om Wilma's hand vast te houden.

De Hofvijver vertrok geen spier. En de bomen op de Vijverberg hielden vast aan hun plek.

Dit stuk Den Haag deed het kalmpjes aan, vanmiddag. Maar dat zou niet zo blijven.

EEN SLOPER OP DE GROEN VAN PRINSTERERLAAN

Aan de Groen van Prinstererlaan waren twee kranen druk doende een oud schoolgebouw neer te halen. Wat aardig lukte: op een paar muren na stond er niets meer overeind.

De muren waren even kaal als de bomen langs de Groen van Prinstererlaan. Ook de laatste bladeren hadden hun verzet gestaakt en waren naar de grond gedwarreld, klaar om te worden weggeveegd.

Er klonk luid gekraak, opzij van me. Een kraan knipte een stuk beton aan flarden.

CONSTRUCTIESLOOP las ik op de zijkant van een container op het bouwterrein.

'Jongen,' zei Vincent, de machinist van een van de kranen, 'wij komen uit Waalwijk, maar wij werken overal. Duitsland, Frankrijk, België, ik heb van 't jaar nog in Barcelona gezeten, en ben zelfs op Cyprus wezen slopen, laatst. Er komt heel wat bij kijken, bij slopen. Daar hebben de mensen geen idee van.'

Van een flat, opzij van het terrein, ging op vierhoog een balkondeur open. Een hand klopte een gele stofdoek uit. Op de begane grond, voor de ingang van het portiek, werd de stoep geschrobd.

'Ja,' vervolgde Vincent, 'wij Nederlanders zijn goed in slopen, vaklui. Wij lopen voorop. Kijk, vroeger... vroeger was het cowboywerk, slopen. "Daar hebbie de slopers," zeien ze vroeger. Zo van: berg je maar. Dan kwam er een stel gasten, zweetbandjes om, die trapten de boel in elkaar, het complex, en stampten de hele troep in een gat in de grond. Puin was puin.

Nou, dat is verleden tijd, dat cowboygedoe. Dat kan niet meer. Alles is aan regels gebonden, en aan vergunningen. Ik zit nu vijftien jaar op de bok, en heb de boel zien veranderen.

Kijk, als ik aan een klus begin, loop ik eerst een ochtend door het object. Waar moet ik beginnen? Je kunt niet zomaar aan een gebouw gaan lopen trekken. No way. Nee, slopen, dat is iets gecontroleerd naar beneden halen. Hoe lopen de balken? Hoe de kabels? Gaat het om klein spul, een uitgebrand rijtjeshuis, dan kijk je: moet ik het pand losknippen van de buren?

Vorig jaar heb ik een boot geknipt, een mammoettanker. Dan kijk je eerst: hoe steekt dat ding in elkaar, de compartimenten? Anders maak je de grootste brokken.

Vroeger werd slopen als "dom werk" gezien. Nou, die tijd is voorbij. Alle puin wordt gescheiden. Scheiden bij de bron, dat is het motto. Gebroken puin wordt gebruikt bij de aanleg van wegen, als fundament. Beton wordt klein geknipt, of vergruisd, het ijzer wordt eruit gehaald, en tegen een kiloprijs verkocht, en... Dat scheiden gaat verder en verder en verder. A-hout, B-hout, C-hout... Er gaat geen vrachtwagen het terrein af zonder een Begeleidingsbrief, waar exact in staat... de herkomst van het puin, de inhoud, waar 't heen moet... En denk erom, er moet een net over de lading heen, anders hang je.

Jongen, asbestsanering, milieuwetgeving, recycling... Het is bijna een wetenschap geworden, slopen.'

De zon brak door op deze koude decemberochtend.

'Wat,' vroeg ik, 'wordt er hier gebouwd, straks?'

'Geen idee,' antwoordde Vincent. 'Er staat wel een bord, hoor, op de hoek, over wat er hier komt, maar... Ik heb er nooit naar gekeken, al die weken niet dat we hier op karwei zijn. Kijk, daar gaan wij niet over, over wat er ná ons komt. Wij moeten de grond zuiveren, en schoon opleveren. That's it. Hierna, na deze klus, gaan we naar Roermond, heb ik begrepen. Wij zijn slopers. Wij komen om te slopen. En is de boel gesloopt, jongen, dan trekken wij weer verder.'

Hij vertelde het opgewekt, vol goeie zin. Eigenlijk verheugde Vincent zich nu al op het aan gort trekken van het volgende gebouw, in Roermond of waar dan ook.

Er ging ontegenzeggelijk iets blijmoedigs van uit, van slopen.

EEN DECEMBERMIDDAG IN DE EERSTE BINNENHAVEN

'Kom,' zei Martin Bril, 'ik moet gaan.'

Hij griste zijn spullen van tafel – sigaretten, een aansteker, zijn pen en notitieblokje – en stond op. Om een voor mij onbekende reden had-ie opeens geen minuut te verliezen, en was het alle hens aan dek.

We verlieten restaurant Mero; maar hoewel Martin te kennen had gegeven haast te hebben, bleef-ie staan, op de Vissershavenweg.

Het was koud, en Martin haalde een muts uit zijn jaszak en zette hem op. Over een paar dagen was het oud en nieuw.

'Kijk,' zei Martin, 'zie je dat, die boot met twee hutten? En de nevel die van zee komt, die zeenevels, en hoe die grijze mist langzaam opschuift, Scheveningen in?'

Ik herinnerde me een andere keer dat ik met Martin op Scheveningen was geweest, zeventien, achttien jaar geleden.

Het was lente toen, een flaneerdag, en we wandelden over de boulevard, op weg naar havenrestaurant Weduwe Van Der Toorn. Op de Strandweg liepen we twee jonge vrouwen tegen het lijf, Indonesisch, die me staande hielden.

'Wie hebben we daar?!' riep een van hen uit.

Ze zagen er oogverblindend uit. Paradijsvogels, met

wie je zó zou willen wegvliegen, vanaf Zestienhoven of Schiphol, met onbekende bestemming, om voorlopig niet meer naar huis terug te keren.

'Bart? Mag ik een zoen van je?'

Het kostte geen moeite om haar verzoek in te willigen. Ook haar vriendin wilde nu een zoen en me omhelzen en tegen zich aandrukken om me 'even te voelen', en ook haar kon ik tevredenstellen.

'Ladies,' zei ik, 'het was me een groot genoegen.' En ik liep door. De Weduwe wachtte.

De twee schoonheden vervolgden hun weg, al keken ze af en toe om en wierpen ze me kushandjes toe.

'Bart!'

Dat was Martin.

'Bart, wat dóe jij?'

'Hoe bedoel je, Martin?'

'Laat je dat gewoon lopen?!' vroeg Martin verbijsterd. 'Dan bén je goddomme beroemd, krijg je die twee in je schoot geworpen, en dan laat je dat lopen? Waar doe je 't dán voor, Bart?'

Ik keek naar de zee. Er was iets grondig mis met mij, begreep ik.

—

'Ik moet weg,' herhaalde Martin, meer tegen zichzelf dan tegen mij. 'Ik moet nu echt weg.'

Hij trok zijn wollen muts diep over zijn oren, stapte in zijn Volvo, toeterde ten afscheid, en spoot weg, de Vissershavenweg af, terug naar Amsterdam.

Ik bleef staan. Konden de twee paradijsvogels van toen elk ogenblik opnieuw op de boulevard verschijnen, en zou ik nu wel klaar voor hen zijn?

De grijze mist verdichtte zich, en het werd snel donkerder.

Alsof achter de zeemist het nieuwe jaar wachtte, en er nu spoedig aan kwam; een jaar dat veel goeds zou brengen, maar misschien ook heel veel minder goeds.

DE MAN DIE NIET VAN CONDOOMS HIELD

Gisteren zat ik omstreeks het middaguur in café Dudok, aan de Hofweg.

Het was lunchtijd, en druk.

Aan het tafeltje naast me zaten twee zakenmensen. 'Wanneer ben je teruggekomen, Jonathan?' vroeg de een.

'Gisteren, in de loop van de middag,' antwoordde de ander.

'Uit?'

'Kiev. Ik heb een week in Odessa en Kiev gezeten.'

'En?'

'O, goed. Ik heb goeie zaken gedaan. Nee, dat is het probleem niet, Ad.'

'Wat is het probleem dan wél?' wilde Ad weten.

Jonathan aarzelde, keek Dudok rond, maar kwam toen ter zake. 'Ik ben vreemdgegaan.'

'Nou,' reageerde Ad, 'daar is toch niks mis mee? Hoe lang ben je nou getrouwd, elf jaar? Dan gebeuren die dingen.'

Jonathan keek geïrriteerd.

'Nou,' zei Ad, 'vertel op. Voor de draad ermee.'

'Ik zat eergisteravond in de hotelbar, en Anouschka, het barmeisje... *Anyway*, zij deed de bar dicht, om halftwee, daarna gingen we naar mijn kamer en...'

'En toen hebben jullie de halve nacht liggen neuken,' zei Ad. 'Jonathan, het kan aan mij liggen, maar sorry, ik zie nog steeds het probleem niet.'

'Anouschka is zesentwintig, twee keer getrouwd geweest, drie kinderen, en... Ik was dronken.'

'Ja,' zei Ad. 'Nou, en?'

'Ik heb geen condoom gebruikt.'

'Hmm,' zei Ad. 'Dat is niet zo handig, inderdaad. Waarom niet? En dat in het voormalige Oostblok. Dat is nou uitgerekend zo'n land, de Oekraïne, waar je vlotjes iets oploopt, dat weet je toch?'

'Ik heb de pest aan condooms. Ik haat die dingen, condooms.'

'Goed,' zei Ad, 'toen kwam jij gisteren thuis, al dan niet besmet met iets, en toen wilde Karin 's avonds... Wat heb je tegen haar gezegd?'

'Dat ik moe was, bekaf, van de lange reis.'

'Hmm,' zei Ad opnieuw. 'Ik gelóóf dat ik je probleem begin te zien. En met dat "bekaf van de uitputtende reis", met die smoes kun je bij Karin met goed fatsoen vanavond niet opnieuw op de proppen komen. Nee, dat begrijp ik ook wel.'

Ad keek naar de klok aan de cafémuur. 'Hoe laat gaan jullie meestal naar bed? Halftwaalf? Nou, het is nu tien over halftwee. Mag jij uitrekenen hoeveel uren je nog hebt voordat de bom barst. Ja jongen, je zal met de billen bloot moeten, vanavond. Er zit weinig anders op, ben ik bang. Ach, ze zal je toch niet het huis uit gooien, of wel soms?'

Jonathan keek naar de klok. Maar of hij de hem resterende onbezorgde uren natelde, was niet helemaal duidelijk.

'Ik ben zelf ooit in Rusland geweest,' vertelde Ad. 'Maar dat is lang geleden, toen Sint-Petersburg nog Leningrad heette.'

'Nou,' zei Jonathan, 'neem van mij aan, er is sindsdien een hoop veranderd daar.'

Hij zuchtte diep, alsof-ie op het spreekuur bij de dokter was en lange tijd op zijn beurt had moeten wachten.

'Een hele hoop veranderd,' herhaalde hij. 'En niet alleen ten goede.'

We stonden op Schiphol. Hartje januari.

Mijn vrouw liep door het detectiepoortje, draaide zich nog eenmaal om, en zwaaide voor het laatst naar ons: naar onze kinderen Maurits, Splinter en Storm, en naar mij.

Zij zou via Frankfurt en Singapore naar Australië vliegen, om in Brisbane onze oudste zoon op te zoeken, die we nu ruim een jaar niet hadden gezien.

Toen draaide zij zich om, en weg was ze.

Splinter snikte, en Storm ook.

'Kom, jongens,' zei ik. 'Laten we gaan.' En daar gingen we, de Vertrekhal uit, de borden P1 volgend, naar Row 51/Rij 51, waar onze auto stond, in een gedeelte van de parkeergarage dat 'Wooden Shoes' heette, 'Klompen'.

Met elke stap die ik zette voelde ik iets uit me wegtrekken, en me verzwakken; maar wát er dan uit me wegtrok, daar kon ik mijn vinger niet op leggen.

We reden terug naar Den Haag. Buiten was het decemberweer, zonder het schrale dat aan januari kleeft.

Her en der zag je schaatsers tussen de weilanden, bij Nieuw-Vennep, Hoofddorp, Roelofarendsveen en bij Warmond; kromme gestaltes, die in korte tijd aanzienlijke terreinwinst boekten.

'Jongens,' zei ik, 'we gaan er wat van maken, de komende maand, oké?'

'Ja, pap,' klonk Splinter achter me. 'Het komt goed, pap.' Hoorde ik een trillertje in zijn stem?

's Avonds aten we een uitsmijter in De Posthoorn aan het Voorhout. 'Pap,' vroegen de drie, 'mogen we een toetje?'

Dat mocht, en ze kozen mij. Sinds jaar en dag sta ik in De Posthoorn op de kaart, onder Gebak en Toetjes, als 'Bart Chabot'-toetje, 'warm appelgebak met ijs en slagroom'. Ik vond die vermelding een hoogtepuntje in mijn leven, en dat vind ik nog steeds.

Op de Engelstalige menukaart, onder Cakes and Desserts, stond het zo mogelijk nog fraaier verwoord: 'Bart-lots-of-whipped-cream-Chabot'-dessert. Toen ik die menukaart voor het eerst in handen kreeg, bekroop me het gevoel dat mijn leven klaar was, eigenlijk. Dat er niet zo heel veel meer was om naar te streven.

Ter zake.

De ober nam onze bestelling op, en korte tijd later zette hij me met een zwierig gebaar drie keer op tafel neer.

Mijn zoons waren jong, hadden zodoende een bijna niet te stillen honger, en aten me met het grootst mogelijke genoegen op.

Ikzelf had geen trek vanavond; ook niet in mezelf.

Toen stonden de jongens op, trokken hun winterjassen en handschoenen aan, deden uit zichzelf, zonder dat ik hen daartoe hoefde aan te sporen, hun das om en liepen monter in de richting van de uitgang.

Ik keek naar onze tafel, en naar de drie lege schoteltjes.

Dat was wat er van me overbleef, de stoffelijke resten: een paar kleine en nóg kleinere stukjes gebak.

Kruimelwerk.

EEN LESJE IN NEDERIGHEID

'Hoe kijk jij tegen God aan?' vroeg de journaliste van *Netwerk*.

Het was vroeg in de ochtend, ontbijttijd, en we zaten bij het raam in het Carlton Hotel aan de Zeestraat. De Zeestraat lag er winterfris bij. Ik voelde me *in shape*, in topvorm zelfs. Ik kon God wel hebben, vanochtend, of Allah, of hoe-die-jongens-heten-mochten.

'O,' antwoordde ik, 'God en ik, wij kunnen uitstekend door één deur. Ik spreek hem regelmatig. Die heeft 't ook niet altijd even makkelijk, moet je rekenen.

Hij lust wel een borreltje, God. Ik moet 'm vaak afremmen zelfs. "Jongen," zeg ik dan, "doe 't nou niet, laat déze nou staan. Je moet dat hele rotend naar die hemel nog terug, en..."'

'En seks,' wilde de interviewster weten. 'Mag je genieten van seks?'

'Lieve schat,' zei ik, 'of dat mág...? Me dunkt! Maar ik zeg erbij, ik ben niet het type dat na gedane zaken op de rand van het bed gaat zitten, een sigaret opsteekt en aan zijn partner vraagt: "En, hoe was 't voor jou?" Nee, zo zit ik niet in elkaar, vrees ik.'

'Cut,' zei de journaliste tegen haar cameraman. 'We hebben het.' En zij pakten hun televisiespullen in.

Later die ochtend kwam ik in Aalsmeer aan, voor de opname van een nieuwe serie afleveringen van *10 voor*

Taal. In mijn team zat acteur Mimoun Ouled Radi, uit de bioscoophit *Shouf Shouf Habibi.* Mimoun was razend populair: Studio 1 zat bomvol opgewonden vrouwelijke fans.

Toen riep de regisseur me bij zich, voor een kleinigheidje. 'Wie,' hoorde ik de meisjes achter me aan elkaar vragen, 'is die ouwe man?'

Ze doelden niet op de regisseur.

In de loop van de middag reed ik terug naar Den Haag. Het had lang en hard gevroren, en het vroor nog steeds, maar een Elfstedentocht zat er vooralsnog niet in.

In de verte tekenden de jonge wolkenkrabbers van Den Haag zich al af. Zij leken het erg naar hun zin te hebben in de stad, want zij maakten geen aanstalten hun boeltje bij elkaar te rapen en op te stappen, om Den Haag te verlaten.

Ja, zij – en God en Allah, natuurlijk – stonden steviger in hun schoenen dan ik. Een stuk steviger zelfs.

OVER HET SLAAN VAN EEN LAATSTE PAAL

'Wat we willen,' zei Tibor van het Evenementenbureau, 'is een losse sfeer, ongedwongen.'

Door de grote vensters van het grand café kon je een stukje binnenstad van Den Haag zien, winterkoud.

'Kijk,' vervolgde Tibor, 'het gaat om de laatste heipaal die de grond in gaat, aan de Turfmarkt, de laatste van zestienhonderd palen. Dat is een feestje waard, zeker voor de omwonenden, die na alle overlast... Je moet 't zo zien, dat gebouw van Weeber, die Zwarte Madonna, die is hiervoor gesloopt, na eindeloze procedures, die zaak ligt gevoelig, dus... Kijk, voor de eigenaar van café Van Beek, die heeft hier al zoveel meegemaakt, slopen, bouwen, slopen, bouwen, voor hem is het de zoveelste "laatste paal", maar voor die omwonenden...'

Tibor nam een slok van zijn koffie, die inmiddels koud geworden was, en kuchte. 'Hoe dan ook, we focussen op de toekomst... Maak je geen zorgen, wij voorzien jou van voldoende inhoudelijke input, en... Jij doet een welkomstwoord, niet te lang, kort en bondig, en jij vraagt de wethouder, Marnix Norder, en de directeur-generaal van de Rijksgebouwendienst, Peter Jägers, het podium op, en interviewt hen, *snappy*. Geen speeches. Dat wordt stijf, formeel, en dat willen we nou juist níet.

Hier,' hij schoof een stapel papieren over tafel mijn kant op, 'je vragen, en de antwoorden.'

'De antwoorden?' vroeg ik verbaasd.

‘Ja,’ bevestigde Tibor. ‘Het is een gigaproject, het Wijnhavenkwartier. Ik bedoel, twee ministerietorens, Justitie en Binnenlandse Zaken, elk dik honderdveertig meter hoog, het grootste rijksgebouw *ever*, een soort “Chicago aan de Turfmarkt”, zo moet je ’t zien, en er is een budget mee gemoeid, een bedrag van ver boven de driehonderd miljoen… Je denkt toch niet dat bewindslieden dan zomaar, voor de vuist weg, een babbeltje...’

‘En de architect?’ vroeg ik. ‘Is die er ook bij?’

‘Ja,’ zei Tibor, ‘die komt er speciaal voor naar Den Haag. Kollhoff, Hans Kollhoff. Een Duitse architect. Nee, die wil ik niet op de bühne hebben, een Duitser. Alles goed en wel, maar we gaan de boel hier niet nodeloos ingewikkeld maken, begrijp je? Dus die komt niet aan het woord.’

Tibor glimlachte. ‘Wist je trouwens dat de resten van die Zwarte Madonna… dat spul is naar Amsterdam gegaan, vermalen, en daar weer geschikt gemaakt voor hergebruik. Zo zitten de resten van de Zwarte Madonna in de stoeptegels van Amsterdam verwerkt. Ja, het kan raar lopen, de dingen.’

Toen ik een week later bij de bouwput aankwam, lag er een heipaal klaar waarop de genodigden graffiti mochten aanbrengen. ‘Is dit nou de laatste paal,’ vroeg ik aan iemand die over de spuitbussen ging, ‘de laatste paal die straks…?’

‘Ben je gek,’ antwoordde een bouwvakker, ‘dat is die dáár…’ Hij wees naar de bouwput, in de diepte. ‘Die paal daar, bij die heimachine…’

'Nee,' zei Peter in de partytent, 'zo werken de dingen niet, jongen. Het gaat om de symbolische "laatste paal", vanmiddag. Er moeten er deze maand nóg honderdvierenveertig de grond in. En dan heb ik het over dit gebouw, hè. Ik bedoel, we hebben het niet over de gebouwen eromheen, want dat is weer een heel ander verhaal.'

Na de interviews liepen Marnix, Peter en ik naar buiten, en zetten onze naam op de 'laatste paal'. Terwijl we terugliepen naar de partytent, ging de heimachine dreunend aan het werk.

'Nee!!' schreeuwde Tibor naar de man in de cabine. 'Wacht!!'

De heimachine staakte zijn werkzaamheden.

'Ze drukken éérst op de rode knop,' riep Tibor, 'binnen, in die tent! En dán pas heien!'

Binnen telde ik af.

'Dames en heren, het grote moment is aangebroken... De laatste paal. Marnix, Peter, zijn jullie er klaar voor? Goed, handen boven de knop... Drie, twee, één...!'

De bewindspersonen drukten vol overgave op de knop.

Maar de afstand van de cabine in de heimachine tot de feestelijke partytent was te groot om uit te maken of de rode knop wel of niet werd ingedrukt, dat viel vanuit de cabine met het blote oog niet zo eenvoudig vast te stellen; en de heimachine kwam niet in werking.

EEN LEVENDE LEGENDE

'Bart,' zei Mike, de eigenaar van café De Posthoorn, 'heb je een momentje voor me, kan ik je even spreken?'

'Twee momentjes,' zei ik, 'als 't moet. Ga zitten, wat heb je op je lever?'

'Volgend jaar,' begon Mike, 'zit De Posthoorn hier vijfenzestig jaar, op deze locatie, het Voorhout.'

Ik floot zachtjes door mijn tanden. Vijfenzestig jaar was niet niks.

'En nou had ik gedacht...' vervolgde Mike.

Maar wat Mike had bekokstoofd, volgde ik niet ogenblikkelijk.

Ik moest aan Hans denken, Mikes vader, de vroegere eigenaar die alweer jaren dood was. Maar bovenal moest ik aan Wil denken, Mikes moeder, die het café na de dood van Hans nog een poosje had gerund. Zij was ook alweer jaren dood, Wil, maar in mijn beleving toch minder dood dan Hans. Ik ging vroeger niet zozeer 'naar De Posthoorn', maar 'even langs Wil'.

'Bart,' had ze me op een avond toevertrouwd, 'de zaak wordt opgeknapt, binnenkort. Opgeknapt en geschilderd. Moet je die muren zien, en het plafond, die bruine aanslag van al dat gerook, dat kan zo niet langer.'

Ik moet haar zorgelijk hebben aangekeken, want ze legde een hand op mijn arm en zei: 'Maar er verandert niks, hoor. Een opfrisbeurt, meer niet. Een goeie lik verf, en nieuwe stoelen. Maak je geen zorgen. Wat er ook gebeurt, het blijft De Posthoorn.'

Mocht De Posthoorn ooit in de nabijheid van een afgrond aan het wankelen slaan, dan achtte ik Wil in staat om met haar lach de bodega zó uit de rode cijfers te jagen. Ik had een zwak voor Wil, kortom.

'Vijfenzestig jaar,' herhaalde ik. 'Het is nogal wat. En dat moet gevierd, dat jubileum.'

'Dát dacht ik ook,' beaamde Mike. 'En nou wilde ik je vragen of jij, belangeloos...'

Ik kneep mijn ogen half dicht, keek het café rond, tot in de krochten van de bodega, en zag toen Wil weer staan, achter in de zaak, in de buurt van het buffet.

Ik moest me bedwingen om niet iets tegen haar te zeggen, en ik keek een tel naar het buffet en naar het stuk plafond erboven. Toen ik opnieuw naar Wil wilde kijken, was ze weg.

'Dat is goed, Mike,' zei ik. 'Je kunt op me rekenen.'

Het was elf over een, diezelfde vrijdagmiddag, toen de deur openstoof. Alsof de deur het café binnen kwam, in plaats van degene die de deur opendeed.

Het waren de legendarische Jan Cremer en zijn vrouw Babette. Jan, die ooit vaste klant was hier, stamgast, toen-ie in Den Haag woonde, en die steevast op zijn zware motorfiets aankwam en vertrok, maar niet zonder de bezoekers van het terras in een walm van uitlaatgassen achter te laten. Althans, zo wilde de overlevering. Sinds ik op de middelbare school *Ik Jan Cremer* had gelezen, was De Posthoorn mijn tweede huiskamer in de stad.

Zij namen plaats aan een tafeltje, niet ver van de ingang.

Babette zag er als altijd stralend uit. Slank, lange blonde haren, messcherp gekleed, zonder één rimpel: alsof de tijd – wat dat ook wezen mocht, 'de tijd' – maar geen vat op haar kon krijgen en daarom, het vruchteloze van zijn onderneming inziend, had besloten om Babette voorlopig Babette te laten.

Datzelfde gold niet helemaal voor Jan.

Jan zag eruit als een man die door de tijd was ingehaald, en voorbijgelopen. Daar stond tegenover dat hij een goeie kop met haar had; haar dat zat alsof Jan na een intercontinentale vlucht zojuist op Schiphol was geland – vanuit New York of een stad in Paraguay of Alaska, plaatsen in elk geval waar iedereen Jan kende en zijn naam met eerbied uitsprak – en op doorreis naar Den Haag veel tegenwind had ondervonden.

Zij bestelden iets te eten: een bestelling die in een ommezien voor hun neus op tafel stond. Erg heet kon het niet zijn, want Babette en Jan aarzelden niet, maar aten het bestelde met spoed op en vertrokken weer. Of beter gezegd: gingen ervandoor.

Daar fladderde Jan de deur al uit, over het Voorhout, op de voet gevolgd door Babette, die enige moeite leek te hebben om Jans hoge tempo bij te benen. De Voorhoutse bomen leken bereid om voor Jan een stapje opzij te doen, en zo zijn doorgang te vergemakkelijken.

Het had er veel van weg dat Jan nu, op zijn beurt, een poging ondernam de tijd terug in te halen.

Ik achtte hem niet bij voorbaat kansloos. Ja, daar

durfde ik mijn geld wel op in te zetten, op het welslagen van Jans probeersel. Een deel van mijn geld, althans.

Zoals gezegd, Jans haar stond op haast.

DE TERUGKEER VAN EEN VERLOREN ZOON

Het was nog donker toen ik Den Haag uit reed.

Geen wonder: het was halfzes 's ochtends, en dan staat de zon niet te springen om voor de dag te komen. Ik ging mijn lief afhalen, die, na drie weken onze oudste zoon in Australië te hebben bezocht, vanochtend thuiskwam.

Op Schiphol parkeerde ik op een *deck* dat 'Koe' heette, 'Cow'. Buiten staken staartstukken boven de wandelpieren uit; alsof het niet om vliegtuigen maar om vissen ging, die uit de vaart waren genomen; voor groot onderhoud.

Ik liep naar Arrivals 4, waar de passagiers van Singapore Airlines, vlucht SQ 324, werden verwacht. Dat kon even duren, want het toestel was zojuist geland.

Het terras van Starbucks Arrivals 4 was open, maar de vestiging zelf niet. Toch zaten er afhalers met koffie, want de Albert Heijn in de aankomsthal opende al om zes uur zijn deuren, en had een koffieautomaat. Tegenover Starbucks kon je Delfts blauwe klompen kopen, en regenlaarsjes met tulpen erop.

Er ontstond enig gedrang onder de afhalers. Feestballonnen vlogen de lucht in, en enkele kinderen werden op de schouders gehesen. De eerste passagiers druppelden de hal in, met hun karretjes en koffers.

Een slordig geklede jongeman mengde zich onder de

afhalers. Een hangjongere, of een zakkenroller die het gedrang onder de afhalers gebruikte om zijn slag te slaan?

Toen zag ik mijn lief.

Zij zag mij ook, want zij zwaaide.

Terwijl ik me haar kant op haastte, passeerde ik de jongeman. Die mompelde iets onverstaanbaars; ik sloeg er geen acht op, want ik wilde naar mijn lief.

'Hoi pap,' hoorde ik nu zeggen, een tekst die je zelden uit de mond van een hangjongere verneemt. Ik keek om, want ik was hem al gepasseerd.

Hij deed zijn hippe muts af.

En ik zag dat het mijn zoon was, mijn oudste; die ik niet had herkend.

EEN STERFGEVAL, EN EEN KLEMMENDE VRAAG

Midden in de nacht ging de telefoon.

Ik weet dat zo zeker, omdat mijn wekkerradio op de grond naast het bed 03.47 aangaf, en ik had geen aanwijzingen dat het apparaat aan een storing onderhevig was. Een telefoontje in het holst van de nacht bracht zelden goed nieuws, dát wist ik wel.

Ik nam op.

'Chabot? Toon is overleden, Toon Nieuwenhuisen. Je weet wel, de Elvis-imitator. Aan kanker.'

Ik wist wie Toon was, want ik had over hem geschreven, jaren geleden; over hem, en over de Elvis-buste die Toon in zijn bezit had en die, volgens Toon, op gezette tijden huilde. Elvis-tranen. Ik had Toons pronkstuk gezien, in Brabant; maar het Elvis-beeld had het tijdens mijn bezoekje droog weten te houden.

'Woensdag wordt-ie begraven, hier in Deurne. We zien je wel, of niet. Kijk maar wat je doet.'

Daarop werd de verbinding verbroken.

Toon meende oprecht dat hij Elvis was. En dat, als bewijs daarvan, het borstbeeld soms huilde.

'Maar hoe het ook afloopt,' had Toon indertijd gezegd, 'zodra ik overlijd, zal ik hem ontmoeten, Elvis, daar ben ik zeker van. Zij aan zij zullen wij gaan, Elvis en ik, als ik eenmaal overleden ben. O, daar kan ik me nu al intens op verheugen. Ik zal hem daadwerkelijk ontmoeten. En hij zal mij herkennen. Want hij weet wat ik allemaal voor hem heb gedaan, uit zijn naam. Zij aan zij zullen wij optrekken, *The King* en ik. Zij aan zij.'

Ik hoopte voor Toon dat zijn droom was uitgekomen.

Toen besefte ik dat Toon, na Herman Brood, de volgende hoofdpersoon-op-rij uit mijn werk was die niet meer leefde.

En ik herinnerde me plotseling dat Barry, Barry Hay, een biografie van mijn hand over de Golden Earring ooit had tegengehouden met de woorden: 'Nee, ik wil niet dat jij dat doet, Chabot. *Too tricky*. Iedereen die nauw met jou samenwerkt gaat niet zo lang daarna de pijp uit. Nou, mij niet gezien. Doe mij een lol, en laat me lekker met rust. Ik heb geen ambitie om vervroegd het hoekie om te gaan, *if you don't mind*. Als jij dat zo graag wil, hét Earring-boek schrijven, vraag dan lekker een van de andere bandleden. Er zijn er nóg drie, tenslotte. Bel Rinus, die gebruikte nooit en weet alles nog. Maar... *leave me out of it*. Ik wou nog effe blijven leven, oké? Of heb je daar onoverkomelijke bezwaren tegen, soms? Daarom. Bel Rinus.'

Ik vroeg me af wie, na Toon, de derde hoofdfiguur was geweest die zich in mijn boeken had aangediend.

Maar hoewel ik klaarwakker was, kwam ik liever niet uit bed om de naam van de ongelukkige te achterhalen.

Wel lag ik nog lang te luisteren naar de Haagse geluiden die nu en dan opwelden te midden van de Haagse stilte, in het diepst van de Haagse nacht.

IN DE TELEVISIESTRAAT

Na mijn afspraak, in de Televisiestraat, liep ik naar mijn auto, ontgrendelde hem op een afstandje en opende het portier.

We zaten diep in januari, heel diep. Februari klom al met één been over de horizon.

Waarom wist ik niet, maar ik deed het portier weer dicht zonder te zijn ingestapt.

Ik liep de Televisiestraat een paar keer op en neer, en de straten eromheen, de Radarstraat, de Telexstraat, en de Dynamostraat. Ik liep niet door de Energiestraat, maar dat had ik voor hetzelfde geld wel kunnen doen.

Een uurtje later wandelde ik terug naar mijn auto. En besloot, bij mijn auto aangekomen, de straten opnieuw te doorkruisen. Dit tafereel herhaalde zich enkele malen. Ik nam er ruim de tijd voor. Wachtte ik op iets?

En zo ja, waarop wachtte ik dan?

Het werd later en nóg later, en donkerder en donkerder; maar niet nóg donkerder, want de straatverlichting sprong aan.

En voor de zoveelste keer liep ik door de straten rondom de Televisiestraat, en door de Televisiestraat zelf. En opnieuw leverde dat niet veel op, hoewel ik geen notie had van waar ik naar op zoek was.

Ik keek de Televisiestraat nog eens in. Hier en daar lag een afgedankte kerstboom; een beetje zoals je dierenschedels aantreft in een woestijn, lukraak.

Het deed me denken aan een gesprek, een paar dagen voor kerst. We stonden in Drinkland, een slijter in de Prinsestraat.

'Waar is je boom?' vroeg een klant. 'Of doe je daar niet aan, hier?'

'Een boom?' herhaalde de eigenaar van de zaak.

'Ik bedoel,' zei de klant, 'een boom, een kerstboom. Ze hebben allemaal een boom, de winkels, maar jij...'

'Nee,' zei de eigenaar, 'hier niet, nee. Daar doe ik niet aan. Thuis wel, een "kerstboom". En dat geeft al gedonder genoeg, thuis.'

Het was druk in de zaak, maar opeens had niemand haast: iedereen wilde wel eens weten hoe dat dan precies zat, wel of geen boom.

'Elk jaar is er wat,' vervolgde de eigenaar, 'met de boom waarmee ik thuiskom. Sloof je je eigen uit en dan... Het is nooit goed of er is wat mee. Dan vinden ze 'm te groot, de kinderen en mijn vrouw, dan te hoog, of juist weer te klein, te breed, kaal, of juist weer niet breed genoeg, of "hoe-hebbie-je-díe-nou-kunnen-laten-aansmeren-want-deze-begint-goddomme-nu-al-uit-te-vallen..."'

De klant haalde begripvol zijn schouders op. Hij kon er best een eind in meegaan, in dergelijke overwegingen, hoewel hij zelf, als winkelier, een andere keus zou maken.

Maar de eigenaar van dit filiaal van Drinkland was, eenmaal op dreef gekomen, nog niet klaar met het onderwerp.

'En dan,' vervolgde hij, 'als je alles hebt gehad, de

hele santenkraam, zit je met de naalden. Denk-ie dat je alles hebt gehad, eindelijk, krijg je dát. Die vind je tot ver na de Pasen terug. En wie mag de boel opvegen? Nou, wie denk je? Eén keer raden. Nee, dank je feestelijk... Ik heb al genoeg aan mijn hoofd. Nee, er komt bij mij geen boom in, niet hier in de winkel, niet zolang ik hier sta in elk geval. Nog geen takkie of twijg.'

Ik liep de Televisiestraat uit, en kwam bij de Troelstrakade. Op twee woonboten brandden de lichtjes van een kerstboom nog.

Ik keek omhoog, tot ver voorbij de daken van de huizen en de flatgebouwen langs de kade; naar de hemel boven de stad, die onbewolkt was en wemelde van de sterren, en van sterren achter de sterren, en sterren dáár weer achter. Je kon zelfs slierten sterren zien, en nevels. Engelenhaar. Planeten zag je niet, die gaven geen licht; dat waren de ballen-in-de-boom. Op de een of andere manier werd het heelal zo teruggebracht tot hanteerbare proporties, terwijl ik op de Troelstrakade stond te kijken; geringer in omvang, en iets waarmee je best uit de voeten kon.

Zo groot was dat hele heelal nu ook weer niet, als je er maar lang genoeg bij stilstond.

En toen pas viel het kwartje, en kon ik terug naar mijn auto in de Televisiestraat. Het heelal was kerstversiering.

Gods speelgoed.

EEN ONHANDIGHEIDJE, EN EEN 'GOEDE NIEUWJAAR'

Het was zaterdagavond, en ik zat in een Chinees restaurant aan de Laan van Meerdervoort. Ik was de enige klant.

Maar ik zat niet alleen aan tafel: een bloemstukje hield me gezelschap.

Ik had achter in de zaak plaatsgenomen, want ik had, anders dan gewoonlijk, geen zin om naar buiten te kijken. Ik geloofde 't wel, vanavond, de voorbijkomende auto's, de trams, en de fietsers.

Hoe vaak had ik in een dergelijk Chinees restaurant gezeten, op een vroege zaterdagavond, al dan niet op tournee door ons land? Hong Kong Garden, De Lange Muur, Bamboo City, Golden Chopsticks, Woe Ping, Kwok Shing, in Zutphen, Almelo of Winterswijk... Moest ik niet nodig eens iets in mijn leven veranderen, en 'de knop omzetten'?

Er kwam een man met twee Etos-tassen binnen, die doorliep naar de afhaalbalie. Hij gaf zijn bestelling op, ging op de bank zitten en nam *De Telegraaf* ter hand. Dat was het enige wat hier goed liep, de krant, afgaande op de verregaande staat van ontbinding waarin dit exemplaar verkeerde.

Kort daarop kwamen een vader en zijn dochter binnen. Terwijl de vader overlegde met de baliemedewerkster, ging zijn dochtertje naast de man op de bank zitten.

'Ik vind jou smerig,' fluisterde zij tegen de man.

Hoewel de man wist dat hij haar goed had verstaan, hield hij toch de mogelijkheid open, zij het op een kiertje, dat hij het meisje niet helemaal goed had begrepen.

'Wat zeg je?' vroeg hij.

'Ik vin jou smerig.'

De man keek naar de vader, maar die was nog druk met de bestelling bezig.

'Ik ben Daan,' zei het meisje. 'Daantje.'

'En hoe oud ben je?' vroeg de man fluisterend.

'Zes.'

'En waarom vind je mij "smerig"?'

'Gewoon,' antwoordde Daantje, 'omdat jij smerig bent.'

'Meneer!' riep de baliemedewerkster. 'Je bestelling is klaar, hoor!'

Het bestelde kwam geen seconde te vroeg; want de man, die nu met drie zakken op weg was naar de uitgang, begon al iets beduimelds te krijgen.

'Meneer,' zei de serveerster, 'je soep. Haaienvinnensoep.' Ze zette de kop-en-schotel half op tafel, en liet te vroeg los. Ik zag het aankomen en schoot met mijn stoel naar achter, probeerde met mijn linkerhand de kop nog op te vangen, maar dat lukte niet helemaal en ik kreeg een groot deel van de hete soep over mijn hand.

Was het opzet?

'O, o!' riep de serveerster ontzet terwijl zij haar armen omhooghief, in de richting van het systeemplafond.

Het duurde even voor de pijn inzette, maar toen zette-ie ook goed in.

Een halfuur later hielp de eigenaresse me in mijn jas.

'Hier, meneer,' zei ze, en ze gaf me een Chinees kalendertje. Het was er een van dit jaar, want er stond 2009 op. Wat voor jaar zou het voor de Chinezen zijn? vroeg ik me af. Het Jaar van de Sprinkhaan, of het Jaar van de Gekneusde Zonnebloempitten?

'Heb je kinderen, meneer? Ja?' De eigenaresse deed een greep in een la en gaf me er zes kalendertjes bij.

'Sorry, hoor, meneer. En een goede nieuwjaar.'

Het was tien over halfnegen toen ik het restaurant verliet, met een pijnlijke linkerhand en zeven Chinese kalendertjes.

Het was druk op de Laan van Meerdervoort. Zaterdagavondauto's reden af en aan. Achter me brandden de lichten van het restaurant nog.

Maar het zag er niet naar uit dat er vanavond, ondanks het vroege uur, nog een auto voor de deur zou stoppen, en dat de hongerige inzittenden het restaurant zouden aandoen.

OP DE PIER

Het was begin februari. Maandagochtend. Een kille en gure februariochtend: een kilte die onder je huid kroop, om daar straffeloos rond te sluipen.

De zon weigerde te schijnen; die was in staking gegaan, voor onbepaalde tijd. De actiebereidheid onder de wolken was groot, want zij vormden één front en dekten het blauw van de hemel nagenoeg af.

Een uitgelezen dag, kortom, om jezelf van kant te maken, gesteld dat je dat zou willen.

Ik besloot de stad in te gaan. Dat leverde allicht iets op.

Maar eenmaal in mijn auto zette ik koers naar Scheveningen. Oog in oog met de zee, wist ik, drukte het juk op je schouders minder zwaar.

Ik parkeerde, liep de boulevard op en kwam uit bij de Pier. Het was lang geleden dat ik voor het laatst op de Pier was geweest.

Objectief gezien viel er op de Pier, als toeristenattractie, het een en ander aan te merken, misschien. Maar ik hou van een zekere mate van verval, en op dat punt wilde de Pier best een eind met me meegaan.

Bij Hot Stuff, de lingerieshop op de Pier, kochten twee mannen gehaast een paar sexy setjes – tijgerdingetjes, en wat doorkijkspul – en maakten zich uit de voeten. Waren er zojuist enkele geronselde meisjes uit

Oost-Europa eerder dan verwacht in Den Haag aangekomen, of uit Azië, die nu zo snel mogelijk 'het leven in' moesten? Daar leek het wel op.

Aan het eind van de Pier leunde ik tegen de reling, en bleef een tijdje zo staan.

Ik bevond me nu achter de golven, en zag ze, voor me uit, gezamenlijk op de kust en op Scheveningen aangaan.

Een stel meeuwen fladderde dicht om me heen; voor hen hoorde ik al bij het meubilair. En ik kreeg, heel even, de indruk dat ik een beetje deel uitmaakte van de zee. Of in elk geval meer bij de zee hoorde dan bij het vasteland.

Als ik maar geduld oefende en lang genoeg wachtte, zou ik verwateren; en werd ik vanzelf een golfje.

EEN LANG UITGESTELDE SCHEIDING, EN EEN HONDJE

Het was rustig op het Goudenregenplein, deze donderdagmiddag. En het was rustig in snackbar De Gouden Regen, naast de vestiging van Domino's Pizza.

Wel reden er opvallend veel bestelwagens en busjes voorbij: in de stad werd op grote schaal geklust.

Een oude man kwam aangesloft, die een hondje meetrok; een hondje dat-ie nu vastmaakte aan het fietsenrek voor De Gouden Regen.

Hij kwam de snackbar in, bestelde koffie en ging aan het tafeltje naast me zitten. Al vrij snel raakten we in gesprek.

'Ja,' vertelde hij, 'ik kom hier vaak. Vroeger niet, eigenlijk. Maar sinds ik van mijn vrouw af ben kom ik hier... Niet dagelijks, maar wel vaak.'

Achter zijn hoofd hing een poster aan de muur, eentje van Ola. *Geniet van een Wereld aan IJs!*

'Klopt,' beaamde hij, 'ik ben een daggie ouwer. Vierentachtig. En pas anderhalf jaar gescheiden. Waarom? Omdat we gek werden van elkaar. Ja. Eerst waren we gek op elkaar, maar dat was na een paar jaar wel over.'

Zijn hondje staakte het uitgebreid snuffelen aan het fietsenrek, en tilde een poot op en plaste. Er liep een dun straaltje richting de stoeprand; maar zo dun dat het straaltje de rand niet ging halen.

'Zij,' vervolgde hij, 'werd gek dat ik geen poot uitstak

in huis. En ik werd gek van haar gesnurk 's nachts.'

'Ja,' gaf hij toe, 'dat wisten we al snel van elkaar, da's waar. Het kostte geen eeuwen om dat van elkaar uit te vogelen. Dat vroegen de mensen uit onze omgeving ook, "waarom zo allejezus lang gewacht?" Daar begreep niemand wat van, niemand.

Maar we hadden kinderen, twee. Daarom hebben we met scheiden gewacht, tot de kinderen dood waren. Want zo'n scheiding, dat wilden we onze kinderen niet aandoen.'

Hij keek naar buiten.

'En nu,' besloot hij, 'nu heb ik een hond. Die snurkt ook, dat beessie, maar daar hoef ik niet naast te liggen.'

Hij stond op en liep naar de toonbank.

'Hebbie een pakkie Marlboro Light voor me?'

Toen liep hij naar buiten, aaide zijn hond, maakte het dier los; en samen verdwenen ze de Goudenregenstraat in.

EEN BROODJE VERSCHRIKKELIJK, EN EEN VALSE START

Kort na het middaguur stapte ik Broodje van Dootje binnen, op de hoek van de Herenstraat en Bleijenburg.

SPECIALITEIT prijkte er op het bord boven de toonbank, BROODJE VERSCHRIKKELIJK.

'Wat,' vroeg ik, 'is een Broodje Verschrikkelijk?'

'Verschrikkelijk,' zei de vrouw achter de counter. Wel glimlachte ze erbij.

Het bestelde liet even op zich wachten, want een Broodje Verschrikkelijk bleek een complete maaltijd die enige bereidingstijd vergde.

Er druppelden klanten binnen, en er druppelden weer wat klanten weg. In een hoek werd een voetbalwedstrijd besproken waarvan de eerste helft klote was geweest, maar de tweede helft het aanzien wél waard was geweest. Of omgekeerd.

'Leeft-ie nog, Dootje?' Ik wees naar het prikbord, waarop een foto hing van een jongetje in korte broek.

'Nee joh,' zei de snackbarmedewerkster, 'die is alweer tijen dood. Wanneer kneep-ie ertussenuit, Dootje? In '87, zoiets. Joh, die is al zo lang dood dat-ie alweer bijna terugkomt.'

Toen stapte een stel binnen. Zij trok haar jas uit, en droeg een dun jurkje met pantermotief. Hij hield zijn jas aan.

'Eén tosti!' riep Katinka. 'En een broodje ros, en een jus.'

'Nou,' zei de man niet erg van harte, 'doe mij dan ook maar een tosti.'

'Moe je luisteren,' zei Katinka tegen haar metgezel, 'op een lege maag kan ik niet werken. Effe geduld nog. Straks ben jij aan de beurt, straks.'

Toen Katinka het bestelde ophad – iets waar zij ruim de tijd voor nam – stond zij op, trok haar jas aan en liep naar de deur. Hier had hij op gewacht, want hij veerde op, rekende af en volgde haar naar buiten.

Nu ging het gebeuren, bijna.

Na een poosje bestelde ik een tweede Broodje Verschrikkelijk en posteerde me bij het raam; in afwachting van de terugkeer van Dootje, die elk ogenblik de hoek om kon komen.

EEN HUWELIJKSAANZOEK

Het was een schitterende lentedag; ware het niet dat we ons nog in februari bevonden, wintertijd.

Een virtuele lentedag, kortom, zoals je virtueel in het geel kunt rijden, tijdens een bergetappe in de Tour de France, terwijl je nog gewoon in het tricot van je sponsor op de fiets zit; de beklimming van de Galibier is in volle gang, maar je naaste belagers in het algemeen klassement zijn ingestort en ver achterop geraakt.

Ik besloot Scheveningen aan te doen.

Korte tijd later reed ik de Gevers Deynootweg af, en parkeerde mijn auto op een hoger gelegen deel van het Zwarte Pad. Via de Zeekant liep ik – langs het Aquarius Hotel en Huize Esperanza – de Strandweg op; tot ik bij de Pier kwam.

Ik heb een zwak voor de Pier, *in some twisted way*; en liet de Strandweg de Strandweg, en de boulevard de boulevard.

Ik was een van de weinige bezoekers.

Opzij van pannenkoekenrestaurant De Pier kwam ik bij de uitzichttoren, en klom de trappen op tot ik boven was. ’s Zomers kon je vanaf deze hoogte bungeejumpen; maar nu niet.

LIN SAN, WIL JE MET ME TROUWEN? stond er op de reling geverfd. En daaronder, in koeienletters: NEE.

De zon strooide met licht, Obama-licht, alsof het vijf december was; en de wolken gooiden geen roet in het eten.

Je kon de Hoftoren zien, en het Strijkijzer.

Er waren nogal wat mensen in Den Haag die ageerden tegen hoogbouw, maar ik rekende me niet tot hen. Ik vond het wel wat hebben, wolkenkrabbertjes, en bovendien horen bij een stad die graag een grote stad wilde zijn.

Toen, terwijl ik zo stond te kijken naar Scheveningen en Den Haag, naar de hoge gebouwen en naar de minder hoge gebouwen, het Kurhaus en de vuurtoren, de flats, de huizen en de hotels, zag ik mijn auto tussen twee duinhellingen door op het Zwarte Pad staan, met zijn neus richting de Noordzee.

Ik kón me vergissen, maar ik kreeg sterk de indruk dat mijn auto mij ook zag, en naar me verlangde.

KETELTJE

‘Pap?’ riep Splinter van onder de douche. ‘Er komt geen warm water meer!’

Ik belde ons cv-onderhoudsbedrijf.

‘Wat is dít?’ vroeg Johan, terwijl hij onze verwarmingsketel hoofdschuddend bekeek.

‘Is er iets niet goed?’ vroeg ik, tegen beter weten in de deur naar een goeie afloop op een kier houdend.

‘Niet goed?’ herhaalde de monteur. ‘Meneer, mag ik u vragen... wie heb dít “aangelegd”?’

‘Een Slowaakse aannemer die...’

‘Ja,’ zei Johan, ‘daar hebbie ’t al. Slowaken. Dat is ook vrágen om moeilijkheden. Weten díe veel. Dus dit is door een Slowaak in elkaar geknutseld... Nou, daar hoef ik de naam en het adres niet van te hebben. Want dit lijkt nergens naar.’

‘Tja,’ zei ik, nog net niet handenwringend.

‘Slowaken,’ vervolgde Johan, ‘Bulgaren, Roemenen, dat ken je zó weggooien. Da’s niks, allemaal. Die gasten, die rotten d’r maar wat in. Wat ken hun het ook schelen? Morgen zitten ze weer ergens anders, godweet-waar, en... Geen haan die ernaar kraait, als ze er een tyfuszooitje van maken.’

‘En Nederlanders?’ probeerde ik.

‘Nederlanders? O, daar zit ook vulles tussen, hoor. Net zo goed. Nee, maak je eigen dáár geen zorgen over, meneer. Evenzogoed, ik heb 't gezien hier, dat wordt een nieuw keteltje. Daar ontkom-ie niet an.'

Keteltje? Dat klonk me goed in de oren. Het klonk een stuk betaalbaarder dan een nieuwe 'ketel', in elk geval.

'Maar 't ergste, meneer...'

''t Ergste?' herhaalde ik.

'Polen.'

'Polen?'

'Dat zeg ik, meneer, Polen. Breek me de bek nie open. Die rossen d'r echt álles in. Ik heb 't meegemaak, meneer, op de Plaats, een appartementencomplex... ketels, gasleidingen, water... Eén grote verrotte zooi, Oostbloktroep, zooi die hier niet eens mág... De gemeente kreeg er lucht van, en... Het spul zat er net in, en het kon er zó weer uit, die hele bliksemse teringbende. Ook alle leidingen moesten eruit, konden ze stuk voor stuk die muren weer openbreken en... Polen. Kostte tónnen, dat geintje.'

Johan haalde een opdrachtformulier tevoorschijn. 'Dus ik luister, meneer... Wat gaan we doen?'

'Doet mij een nieuw keteltje dan maar,' hapte ik snel toe, met 't idee dat ik mezelf zo misschien geen ton, maar toch wel een klein kapitaaltje bespaarde.

Terwijl Johan wegreed kon ik ternauwernood een juichje onderdrukken.

PAULA EN ROBINE

Dinsdagmiddag zat ik in de vestiging van de Coffee Company op de hoek van de Molenstraat en het Noordeinde.

Ik had me verschanst achter een *panna montata* en een krant. Er was weer eens van alles aan de hand in de wereld, in de Gazastrook, in Georgië, tal van zaken die hoognodig dienden opgelost; daar waren vriend en vijand het roerend over eens.

Ook op het Binnenhof maakte men overuren.

Kort na twee uur stapten twee goeie vriendinnen naar binnen. Zij praatten honderduit.

Wel viel me op dat de een, die Paula bleek te heten, veel vaker aan het woord was; maar dat scheen de ander, Robine, niet te deren.

Zij trokken hun jassen uit en legden die over een stoel, zetten hun tassen van de grond weer op tafel en herschikten enkele gekochte artikelen, gingen toen aan het tafeltje achter me zitten en bestelden twee espresso's, zonder dat hun gesprek ook maar enigszins leed onder al die handelingen.

Ik luisterde pas weer toen de stillere van de twee aan het woord kwam.

'Kerels?' hoorde ik haar zeggen. 'Nee, dank je. Dank je feestelijk. Daar ben ik éven klaar mee, als je 't niet erg vindt, Paula. Dat heb ik even hélemaal gehad, dat hoofdstuk.'

Paula zei iets waaruit bleek dat zijzelf nog wel iets in 'kerels' zag, maar tegelijkertijd alle begrip kon opbrengen voor het standpunt van haar vriendin.

'Nee,' vervolgde Robine, 'ik blíjf me daar aan de gang. Nee, er kómt een tijd, er kómt een moment dat je denkt: en nóu is het verdomme genoeg geweest, nou ben ik 't écht effe spuugzat, "Eruit, en neem je hele zooi gelijk mee." Kijk, met Gerard...'

Na een tijdje informeerde Paula hoe het met Poekie ging, de poes.

'Poekie?' zei Robine. 'Had ik je dat niet verteld? Jézus, weet je dat dan niet? Poekie is dood, joh. Maar, dat moet ik erbij zeggen, het was ook geen doen meer. Hij kon niks meer ophouden, nog geen druppel, en pieste en plaste alles onder, de hele boel. Er was op 't laatst geen lol meer aan, hoezeer ik ook op 'm gesteld was, dat weet je. Er zat niks anders op, dan om 'm, ja, tenzij... Maar dan was het eindeloos doorsukkelen geworden, en dat is voor zo'n dier toch ook geen leven, toch?

Kortom, daar heb ik een punt achter gezet, met tegenzin. Hij pieste over mijn bank, in mijn bed, op mijn kussen, *all over the place*... Dus die heb ik laten inslapen, een week of drie geleden... Ik bedoel, wat moet je anders, wat móet je? Goh, dat ik je dat niet verteld had...'

Terwijl ik naar het relaas luisterde, bekroop me de

gedachte dat er niet één, maar twee poezen te betreuren waren. Maar even snel als deze overweging bij me opkwam, verwierp ik haar weer.

SCHEVENINGSE WOLKEN

Er lag sneeuw op de kerk van Pijnacker, die ochtend; en er lag sneeuw op de daken van de huizen om de kerk heen.

Maar lang duurde dat niet.

De regen kwam, en nam de regie over; het dunne laagje sneeuw dat gevallen was, lag er al snel verwaterd bij. Het was een regen die niet alleen op je neer zwiepte, maar ook door je heen sloeg.

Ik kreeg het koud, besloot Pijnacker Pijnacker te laten, stapte in mijn auto en reed naar Den Haag, en toen door naar Scheveningen.

De regen had het gemunt op alles wat bewoog, en achtervolgde de weinige wandelaars die zich op de boulevard waagden, ook die ene man die zijn hond uitliet. De regen liet zijn tanden zien, kortom; en dat gebit loog er allerminst om.

Ik moest denken aan een oude vriend, Martin Bril, met wie ik hier had gelopen, enkele dagen voor oud en nieuw; een wandeling die zich niet snel zou herhalen. Sterker, een wandeling die, naar Martins conditie zich liet aanzien, überhaupt niet zou worden herhaald.

Al met al was de lente ver weg; om van de zomer maar te zwijgen.

Later in de middag sloeg de regen nog genadelozer toe, en ik vluchtte een Schevenings café in om op te drogen en op temperatuur te komen. Deze dag moest als verloren worden beschouwd, en kon onder de post 'Afgeschreven' in de boeken.

Zo bleef er niet bijster veel over.

Lang keek ik door het caféraam naar buiten, naar de Scheveningse wolken die zich verzamelden boven het vissersdorp. Je kon een hoop van de wolken zeggen, een hele hoop zelfs, maar zij hadden in elk geval elkaar nog. Wat dat betreft voelde ik een grotere verwantschap met de wind. Die had alleen zichzelf, en dwarrelde uiteen en verwaaide.

Ik rekende af en liep de regen in.

Het was nu zaak om te zorgen dat ik mezelf niet helemaal kwijtraakte, want dat gevaar lag wel degelijk op de loer.

OOIEVAARSKOLONIE

'Jij komt toch uit Den Haag?'

Ik stond in café 't Pleintje in Meppel, diep in de binnenlanden van Drenthe.

'Hoe weet je dat?' vroeg ik.

'Dat hoor ik aan je taaltje. Om maar eens wat te noemen.'

'En wie wil dat weten?' zei ik. 'Wie vraagt dat?'

'Ik heet Griet,' zei de jonge vrouw aan de bar.

'Mooie naam,' zei ik. 'Die hoor je niet vaak. Tenminste, niet in Den Haag.'

'En, vind je mij ook mooi?'

'Zeker,' antwoordde ik naar waarheid.

Griet glimlachte, en nam een slok van haar bier. 'Den Haag,' vervolgde ze, 'dat is de stad van de ooievaar, toch?'

Het viel niet te ontkennen.

'Nou,' zei Griet, 'wij hébben de ooievaar. En niet eentje, maar een heleboel. Een ooievaarskolonie, even buiten Meppel. 's Ochtends vroeg, als de zon opkomt, staan ze op de lantaarnpalen langs de weg naar het Medisch Centrum Meppel, de Hoogeveenseweg. En weet je waarom ze daar staan, op die straatlantaarns? Om hun voeten te warmen. Die lichten geven warmte af, en...'

Nu was het mijn beurt om te glimlachen, en bovendien tijd om een slok te nemen.

'Over warmte gesproken...' zei Griet. 'Waar slaap jij eigenlijk, vannacht?'

'In een hotel, in de Dirk Jakobsstraat. Hotel De Reisiger.'

'Joh,' zei Griet, 'dat is een hotel voor handelsreizigers. Wat moet je daar? Kom lekker bij mij slapen, gezellig.'

Het was een vriendelijk aanbod, dat moeilijk viel af te slaan.

De volgende dag, tegen het middaguur, kwam ik bij de ooievaarskolonie die Griet bedoelde. Een kilometer of zes buiten Meppel kondigde een bord langs een landweggetje Ooievaarsstation De Lokkerij aan. Ik liep een stuk bos door, en kwam bij een weiland. Griet had gelijk: het stierf van de ooievaars.

Niet tientallen; nee, honderden exemplaren hielden zich op in de weilanden en langs de sloten. En in de bomen rondom prijkten grote ooievaarsnesten. Deze jongens waren vooralsnog niet van zins om op te krassen, dat was duidelijk.

Het waren indrukwekkende vogels, met een indrukwekkende vleugelspanne. Nu en dan maakte er eentje zich los van de grond, steeg op, draaide enkele rondjes; om daarna weer majestueus te landen, uitgevlogen.

Ik was niet de enige belangstellende. In de verte, aan de andere kant van het weiland, waar de Lankhorsterweg liep, stonden auto's losjes in de berm geparkeerd; en ik zag een groot aantal mensen druk met verrekijkers in de weer.

Deze ooievaarskolonie was zowaar een attractie, en goed voor het toerisme.

Tegen drieën parkeerde ik mijn auto in de nabijgelegen nieuwbouwwijk De Wijk en wilde een cafeetje binnen lopen, toen ik ze zag, op de daken van de huizen. Ooievaars, en ooievaarsnesten.

'Die beesten?' zei Jannes Spaai, die hier sinds kort woonde en nu zijn hond uitliet. 'Nou, daar zijn we lekker mee, maar-niet-heus. Kun je ze niet meenemen? Gék worden we ervan, hier, van die krengen. Ja, het líjkt leuk, ooievaars, geweldig leuk zelfs, maar dat vinden alleen de mensen die er niks van af weten, de leken. Nee jongen, ze schijten de hele buurt onder. Enorme plakkaten. 's Zomers glijdt de smurrie zó van het dak de balkons op, en op de stoep voor het portiek, en over waslijnen heen... Verschrikkelijke stinkzooi, dat-wil-je-niet-weten.

En ze zijn niet weg te krijgen ook, die krengen. Hebben ze zich eenmaal ergens genesteld, dan blíjven ze terugkomen, naar dezelfde plek. Moet je ze daar nou zien zitten, op de schoorstenen. We hebben er allemaal, alle buurtbewoners, een stalen constructie op laten zetten, om de schoorstenen heen, in de hoop dat... en wat denk je? Die beesten gebrúiken die frames gewoon, om hun nest mee op te bouwen, ter versteviging.

En ze afschieten, wat we graag zouden doen, dat mag ook niet, want het gaat hier om een "beschermde vogelsoort". Nou jij weer.

Ja, je mag ze zó meenemen, hoor, die rotvogels, zijn wij er tenminste vanaf. Zullen ze hier geen traan om laten, om hun vertrek, geen traan. Klotevogels. Ja, je komt weleens in de verleiding om... jachtbuks erbij, schemering... en afknallen, die handel. Maar ja, zoiets doe je niet, hè? Daarom, als jij ze meeneemt, dolgraag. Als jij een veewagentje regelt, helpt de buurt jou inladen, dat geef ik je op een brieffie. Want hoe eerder wij er hier vanaf zijn, hoe beter.'

Jannes' hond blafte nu een paar maal ongeduldig en de eigenaar verontschuldigde zich, zijn hond had ook enige aandacht nodig, en Jannes vervolgde zijn weg.

De hond blafte opnieuw, maar nu uitgelaten, blij dat de wandeling na het lange wachten eindelijk werd voortgezet.

Even later reed ik weg uit De Wijk, terug naar Den Haag, in de wetenschap dat het aardig was om een ooievaar in je stadswapen te hebben, bijzonder aardig zelfs; maar dat het voor ons, bewoners van Den Haag, toch vooral te hopen was dat die ooievaars zelf in Meppel bleven, in hun kolonie.

'Hé,' zei de vrouw achter de toonbank, 'wie hebben we daar?'

Ik stond bij de bakker, laat op een donderdagmiddag. Er waren geen andere klanten.

De verkoopster keek me nog eens goed aan – was ik het wel echt? – en zei toen: 'Nou, ik moet zeggen, ik vind je in 't echt knapper dan op tv. Op tv kom je dikker over.'

Ze keek naar haar collega. 'Vind je ook niet, Gerda, dat-ie zo, in het echt, veel knapper is dan op tv, minder dik?'

Nu was het Gerda's beurt om me uitgebreid te bekijken. 'Ja,' beaamde Gerda, 'nu ik 'm zo zie... Maar,' voegde Gerda eraan toe, 'je bent niet meer zo vaak op tv, hè, want ik zie je niet veel meer, kan dat?'

'Klopt,' zei ik, en ik glimlachte. 'Ik ben een aflopende zaak.'

Twee dagen later, zaterdagsochtends, reed ik Den Haag uit. Met Splinter en Storm was ik op weg naar de ontbijtpremière van *Bolt*, een Disneyfilm. Het was niet donker meer, maar het was toch ook nog niet helemaal licht.

Lange tijd bleef het stil in de auto. De jongens waren nog niet zo lang op en tot niet veel meer in staat dan stilzwijgend meehobbelen.

In de buurt van Amsterdam sneeuwde het; sneeuw die niet veel om het lijf had. Hij bleef niet liggen, in elk geval.

Nadat ik de auto in de parkeergarage had gezet, liepen we naar de bioscoop, op de Arena Boulevard. Terwijl we op weg naar de ingang de glazen pui van het bioscooptheater passeerden, gingen er een paar flitslichten af binnen. Maar veel flitsen waren het niet.

'Pap,' zei Splinter, en hij zwaaide naar enkele mensen achter een ruit, 'daar heb je de fotografen.'

Dat kon best zo wezen, maar de ingang van Pathé Arena, met een klein rood lopertje ervoor, was toch echt een tiental meters verder.

'In orde,' zei de beveiligingsbeambte aan de deur, nadat hij mijn Strikt Persoonlijke! Toegangsbewijzen had gecontroleerd. 'Je kan doorlopen, naar links.'

Op het podium in een hoek van de foyer, links, zong Maud een nummer uit de film. Het clubje kinderen vlak voor het podium staarde haar bewonderend aan, en wachtte tot Maud klaar was: dan konden ze haar handtekening vragen.

'Pap,' zei Splinter terwijl hij zachtjes aan mijn mouw trok, 'de fotografen zijn rechts.'

Inderdaad waren de fotografen van De Bladen in het met een groot scherm goeddeels aan het oog onttrokken rechtergedeelte van de foyer bezig met het vereeuwigen van sterren als actrice Georgina Verbaan en televisiepresentator Carlo Boszhard, en Chazia Mourali. Ik hoorde daar niet meer bij, in die contreien. Driekwart jaar geleden nog wel, misschien. Maar nu niet meer.

'Splint,' fluisterde Storm zijn broer toe, 'dat gaat niet lukken, joh, dat we op de foto gaan. Die man, bij de deur net, die man heeft pappa helemaal niet herkend.' En toen, tegen mij: 'Pap, je bent niet bekend meer.'

Storm keek me aan alsof ik eindelijk zijn vader was.

's Middags keerde ik terug naar Den Haag, in mijn hoedanigheid van gevallen coryfee. De jongens wezen elkaar op de vliegtuigen op en boven Schiphol. In de weilanden viel geen spoortje sneeuw te bekennen. Integendeel, de zon scheen volop, en vanuit de voortsnellende auto deed het landschap lenteachtig aan.

Ik zette de autoradio aan, en zong even later – we waren het Brugrestaurant al gepasseerd – een song mee van U2. Al snel vielen de kinderen in. Zij kenden het nummer vanbuiten.

Eigenlijk beviel het me uitstekend, dat ex-Bekende-Nederlanderschap. Ik voelde me er buitengewoon ontspannen bij, merkte ik. Er leek een flink deel van het gewicht dat op mijn schouders drukte weggenomen.

Waarom, vroeg ik me af, was ik daar niet veel eerder mee begonnen, met onbekend blijven?

HAAKSBERGEN REVISITED

Bart Chabot is een groot kind en hij is bang voor mensen. Dat komt omdat hij zo ontzettend vaak te zien is (geweest) in domme televisieprogramma's. De mensen zijn eenvoudigweg vergeten dat hij schrijver is. En als ze hem al als auteur zien, is het uitsluitend als biograaf van Herman Brood, een dode zanger wiens muziek nergens meer te horen valt. Je zou dus kunnen zeggen dat Chabot de gevangene is van zijn eigen imago. Dat is aan de ene kant treurig, maar het biedt aan de andere kant een schitterende kans: een Houdini-act.

Ergens in het jaar 2008 zat ik met Chabot aan een knappend houtvuur in een herberg iets buiten Haaksbergen. Buiten klonk het geraas van water dat door een eeuwenoude watermolen viel. Wij hadden opgetreden die avond, samen met onze vriend en collega Ronald Giphart, en nu konden we nog even wat lullen. Dat is wat vrienden doen.

Lullen.

Aanvankelijk ging het gesprek dus nergens over (of over alles), maar op zeker moment zei Chabot dat hij gevraagd was een column te gaan verzorgen voor het *Algemeen Dagblad*, editie Den Haag. Hij leek niet bijzonder vereerd met het verzoek. Bovendien was het bedrag dat ermee was gemoeid ongeveer gelijk aan drie danspassen in *Dancing with the Stars*. Maar het allerbelangrijkste bezwaar was dat hij zich als columnist met het reilen en zeilen van zijn stad zou moeten verstaan, en daar had hij totaal geen zin in. Het idee dat de visboer hem zou lezen, of iets na zou roepen – Chabot werd al bang bij het idee.

'Jongen,' zei ik, 'wat jij nodig hebt is een uitdaging. Je moet het juist wel doen. Het geld is kut, maar dat is niet erg. Je moet de straat op, je kunt niet de hele dag binnen op gedichten zitten te broeden, op zaterdagmiddag in vermomming naar de Albert Heijn rijden en een keer in de week een zak cd's gaan kopen, waarschijnlijk op een tijdstip dat er verder niemand in die winkel is.'

'Denk je?!?' vroeg Chabot. Als je iets serieus tegen hem zegt, helt hij naar je over en zet hij de grootst mogelijke ogen op. Hij is dan geen bang kind meer, maar een jongetje dat leiding nodig heeft. Maar al doende intimideert hij je ook een beetje, alsof hij zelf wel degelijk een lijn in zijn leven en werk ziet, en nu jouw visie daarop wil horen.

'Ja, jij moet de straat op,' zei ik. 'Niet van dat benauwde. Je weet alles over Den Haag. Je kunt over alles een column schrijven.' Dat laatste is wat columnisten, en zeker zij die het vak niet kennen, vaak onderschatten. Een columnist heeft geen onderwerpen nodig, maar een stijl, een open vizier, een eerlijk geluid. Ook belangrijk, en al genoemd: kennis van het terrein.

Bart nipte van zijn glas en ik zag dat hij nadacht. Een ober kwam voorbij om te zeggen dat de laatste ronde naderde. We bestelden nog wat en vroegen om nog wat extra hout in het vuur. Het rookverbod in de horeca was nog niet van kracht en ik stak er een sigaar bij op. Rustig wachtte ik op Bart.

'Hoe doe jíj dat dan?' vroeg hij ten slotte.

Wij waren op het moment van die vraag al twee jaar of langer met elkaar en Giphart (die het deze avond verkozen had terug naar huis te rijden) op pad en menigmaal had ik aan het einde van de middag in gezelschap van de jongens mijn column voor de volgende dag in *de Volkskrant* geschreven. Vaak ook, heel vaak, waren de jongens getuige van dat ene magische moment dat aan een geslaagde column ten grondslag moet liggen. Dan liepen we ergens langs, zagen we iets, hoorden we twee meiden iets tegen elkaar zeggen, en dan zei Giphart: 'Bingo!' Die wist dat ik dan mijn column had. Alleen moest hij nog geschreven worden.

Ik vertelde Bart nog meer over mijn stiel. Het leuke van een beroep is dat je de bijbehorende vaardigheden en kennis kunt overdragen. Ik noemde hem de namen van de schrijvers op wiens werk ik altijd terug kan vallen. Ik vertelde hem van de kunst van het slenteren, en van de durf te wachten; als je om vijf uur moet inleveren, hoef je pas om vier uur aan het werk. Je moet durven vertrouwen op je innerlijke radar, je talent en je stijl die uiteindelijk alles tot een column kneedt. Bovenal moet je niet liegen, want dat voelen de mensen. Eerlijkheid is het anker van de columnist.

'Mmm,' zei Bart op zeker moment, 'misschien ga ik het wel doen.'

'Natuurlijk jongen, en je zult zien dat de mensen het mooi vinden. Maar niet liegen en fantaseren. Dat is belangrijk. Niet iedere week bij een andere Malle Pietje op bezoek, maar variëren in je onderwerpen. Altijd vertellen wat voor weer het is, dat geeft de mensen houvast. En dan snel door naar twee columns per week, want eentje, tja, dat is eigenlijk niks. Maar vooral: de deur uit!'

We zijn inmiddels een stuk verder in de tijd. Haaksbergen bestaat beslist nog steeds en het water valt nog steeds door de eeuwenoude molen. Bart Chabot is voor de Haagse editie van het *Algemeen Dagblad* een column gaan schrijven waar niet alleen hij, maar ook Den Haag van is opgeknapt. Hij begeeft zich onder de mensen, hij strijkt neer op terrassen. Hij geeft ogen en oren de kost, hij doet de moeite die bij het vak hoort, hij varieert en maakt zich er toch af en toe met een jantje-van-leiden van af, maar dat is het kind in hem dat denkt met alles te kunnen wegkomen, en zodra ik hem op ontrouw aan het mooiste vak ter wereld (zoals ik mijn beroep graag noem) betrap, geef ik hem een schop onder het niet geringe achterste.

Enfin.

Den Haag is een mooie stad. Misschien wel de allermooiste stad van Nederland, een stad die flaneert met een badplaats aan heur arm. Het is een stad die een groot chroniqueur verdient en ooit ook had in de gedaante van Louis Couperus. Van hem resten nog slechts echo's en boeken in de ramsj. De nieuwe chroniqueur van Den Haag moet Bart Chabot zijn. Waardig schrijdt hij door de straten, voor niemand is hij bang. Het kind is uit hem gevaren, zijn lange jas staat hem eindelijk als gegoten. De eerste proeve van wat in mijn ogen een reusachtige ambitie moet zijn – de schrijver van een stad te zijn – ligt hier thans voor ons. Ik ben er trots op.

Martin Bril, februari 2009

VERANTWOORDING

Deze verhalen verschenen eerder in de *Haagsche Courant*.

Ze zijn voor dit boek opnieuw geredigeerd, en in de meeste gevallen ingrijpend gewijzigd en uitgebreid. 'Een sprankje hoop in de Sumatrastraat' verschijnt hier voor het eerst.